O MENINO QUE DESCOBRIU O VENTO

O MENINO QUE DESCOBRIU O VENTO

William Kamkwamba
e Bryan Mealer

Ilustrações
Anna Hymas

Tradução
Eliana Rocha

Principis

Texto © 2015 William Kamkwamba e Bryan Mealer
Ilustrações © 2015 Anna Hymas
Todos os direitos reservados, inclusive o direito de reprodução em todo ou em parte da obra.
Esta edição foi publicada sob acordo com a Dial Books for Young Readers, um selo da Penguin Young Readers Group, uma divisão da Penguin Random House LLC.

© 2021 desta edição:
Ciranda Cultural Editora e Distribuidora Ltda.
Esta é uma publicação Principis, selo exclusivo da Ciranda Cultural

Título original
The boy who harnessed the wind

Texto
William Kamkwamba
Bryan Mealer

Ilustrações
Anna Hymas

Design
Mick Wiggins
Lindsey Andrews

Produção editorial
Ciranda Cultural

Tradução
Eliana Rocha

Editora
Michele de Souza Barbosa

Revisão
Fernanda R. Braga Simon

Diagramação
Linea Editora

Dados Internacionais de Catalogação na Publicação (CIP) de acordo com ISBD

K156m	Kamkwamba, William
	O menino que descobriu o vento / William Kamkwamba; Bryan Mealer; traduzido por Eliana Rocha; ilustrado por Anna Hymas - Jandira, SP : Principis, 2021.
	192 p. : il. ; 15,50cm x 22,60cm
	Título original: The boy who harnessed the vento ISBN: 978-65-5552-624-0
	1. Literatura africana. 2. Invenção. 3. Superação. 4. Moinho de vento. 5. Colheitas. 6. Netflix. 7. Fome. I. Mealer, Bryan. II. Hymas, Anna. III. Título.
2021-0118	CDD 896 CDU 821.134.3(81)

Elaborado por Lucio Feitosa - CRB-8/8803

Índice para catálogo sistemático:
1. Literatura africana 896
2. Literatura africana 821.134.3(81)

1ª edição em 2021
www.cirandacultural.com.br
Todos os direitos reservados.
Nenhuma parte desta publicação pode ser reproduzida, arquivada em sistema de busca ou transmitida por qualquer meio, seja ele eletrônico, fotocópia, gravação ou outros, sem prévia autorização do detentor dos direitos, e não pode circular encadernada ou encapada de maneira distinta daquela em que foi publicada, ou sem que as mesmas condições sejam impostas aos compradores subsequentes.

À minha família.

– W.K.

Sumário

Prólogo..9

Quando a magia governava o mundo......................................11
Khamba..31
Descobrindo uma coisa chamada ciência................................37
A vida incerta de um agricultor africano..................................48
O Malaui começa a morrer de fome..53
Minha escola..71
Tempo de morrer..80
Vinte dias...89
A biblioteca..95
Tempo de colheita.. 112
Nasce o moinho de vento.. 127
Maior e mais brilhante.. 140
O inventor incansável... 151
O mundo descobre Wimbe.. 161
O encontro com Tom na TED... 172

Epílogo... 184
Agradecimentos... 191

MAR MEDITERRÂNEO

MAR VERMELHO

OCEANO ATLÂNTICO

OCEANO ÍNDICO

MALAUI

WIMBE
LILONGWE

ÁFRICA

Prólogo

A máquina estava pronta. Depois de tantos meses de preparação, o trabalho finalmente havia terminado: o motor e as pás estavam aparafusados e seguros, a corrente, bem esticada e cheia de graxa, e a torre, firme em suas pernas. Os músculos de minhas costas e braços haviam se tornado tão duros quanto uma fruta verde de tanto empurrar e levantar peso. E, embora eu não tivesse dormido na noite anterior, nunca me senti tão desperto. Minha invenção estava concluída. Parecia exatamente como eu a tinha visto em meus sonhos.

Notícias sobre o meu trabalho haviam se espalhado por toda parte, e agora as pessoas começavam a chegar. Os comerciantes do mercado, que a tinham visto crescer a distância, fecharam suas lojas, enquanto os motoristas de caminhão deixaram seus veículos na estrada. Tinham cruzado o vale em direção à minha casa e agora se reuniam debaixo da máquina, olhando para cima, espantados. Reconheci seus rostos. Esses mesmos homens tinham zombado de mim desde o início e ainda murmuravam e até riam.

Deixe-os pra lá, pensei. Chegou a hora.

Pisei no primeiro degrau da torre e comecei a subir. A madeira macia rangeu sob o meu peso. Quando atingi o topo, fiquei de pé, no mesmo nível da minha invenção. Seus ossos de aço estavam bem soldados, e seus braços de plástico, enegrecidos pelo fogo.

Admirei as outras peças: as tampas de garrafa, as partes enferrujadas de um trator, o quadro de uma velha bicicleta. Cada uma contava sua própria história de descoberta. Cada peça se perdera e depois fora encontrada em uma época de medo, fome e dor. Juntos agora, estávamos todos renascendo.

Com uma mão, agarrei uma pequena vara onde estava presa uma minúscula lâmpada. Então eu a conectei a dois fios que pendiam da máquina e me preparei para o passo final. Lá embaixo, as pessoas cacarejavam como galinhas.

– Silêncio, todos – disse alguém. – Vamos ver até onde chega a loucura desse garoto.

Nesse exato momento, uma rajada de vento assobiou entre os degraus e me empurrou para dentro da torre. Lá, destravei a roda giratória da máquina e vi que ela começou a girar. A princípio devagar, depois cada vez mais rápido, até que toda a torre balançava para a frente e para trás. Meus joelhos viraram geleia, mas eu aguentei firme.

Eu implorava em silêncio: *Não me deixe cair.*

Então agarrei a vara e os fios e esperei pelo milagre da eletricidade. Finalmente ela chegou, uma pequena centelha na palma da minha mão e, depois, uma magnífica incandescência. A multidão suspirou, e as crianças se empurraram para ver melhor.

– É verdade! – disse alguém.

– Sim – disse outro. – O garoto conseguiu. Criou o vento elétrico!

Quando a magia governava o mundo

Eu me chamo William Kamkwamba e, para entender a história que vou contar, é preciso primeiro conhecer o país onde fui criado. O Malaui é um pequeno país no sudeste da África. No mapa, ele parece uma minhoca cavando seu caminho através da Zâmbia, de Moçambique e da Tanzânia, à procura de um pequeno espaço. O Malaui costuma ser chamado "O Coração Quente da África", o que não diz nada sobre sua localização, mas tudo sobre o povo que o chama de lar. Os Kamkwambas vieram do centro do país, de uma pequena cidade chamada Masitala, localizada na periferia da cidade de Wimbe.

Vocês devem estar se perguntando como é uma cidade africana. Bem, a nossa tinha cerca de dez casas, todas feitas de tijolos de barro e pintadas de branco. Durante a maior parte da minha vida, nossos telhados eram feitos de bambus compridos que colhíamos perto dos pântanos, ou *dambos* em nossa língua *chewa*. Os bambus nos mantêm frescos nos meses quentes, mas, durante as geladas noites de inverno, o frio rasteja para dentro dos nossos ossos e dormimos debaixo de uma montanha de cobertores.

Todas as casas em Masitala pertencem à minha grande família de tias, tios e primos. Em nossa casa, moramos eu, minha mãe, meu pai e minhas seis irmãs, além de algumas cabras e galinhas-d'angola.

Quando as pessoas ficam sabendo que sou o único menino entre seis meninas, costumam dizer "*Eh, bambo*", que significa "Ei, homem, lamento por você!". E é verdade. A desvantagem de só ter irmãs é que frequentemente sou perseguido na escola porque não tenho um irmão mais velho para me proteger. E minhas irmãs estão sempre bagunçando minhas coisas – principalmente minhas ferramentas e invenções –, sem me dar nenhuma privacidade.

Toda vez que eu perguntava a meus pais "Por que temos tantas meninas?", sempre recebia a mesma resposta: "Porque na loja de bebês estavam faltando meninos". Mas, como vocês verão nesta história, minhas irmãs na verdade são ótimas. E, quando você vive em uma fazenda, precisa de toda ajuda que possa conseguir.

Minha família cultiva milho, que em nossa língua chamamos de *chimanga*. E cultivar *chimanga* exigia todas as mãos disponíveis. Em cada temporada de plantação, minhas irmãs e eu acordávamos antes do nascer do sol para cavar cuidadosamente as fileiras e depois enfiar suavemente as sementes no solo macio. Quando chegava a época da colheita, voltávamos a trabalhar muito.

A maioria das famílias do Malaui é de agricultores. Passamos a vida toda no campo, longe das cidades, onde podemos cuidar de nossas lavouras e criar nossos animais. Onde vivemos não há computadores nem *video games*, e as televisões são muito poucas. Durante a maior parte da minha vida, não tínhamos eletricidade – só lâmpadas a óleo, que vomitavam fumaça e cobriam nossos pulmões de fuligem.

Aqui os agricultores sempre foram pobres, e poucos podem custear sua educação. Consultar um médico também é difícil, porque a maioria de nós não tem carro. Na época em que nascemos, tínhamos muito poucas opções na vida. Por causa dessa pobreza e da falta de conhecimentos, os malauianos encontravam ajuda onde podiam.

Muitos de nós recorríamos à magia – que é como minha história começa.

Antes de descobrir os milagres da ciência, eu acreditava que a magia governava o mundo. Não a magia dos mágicos de tirar coelhos de cartolas ou serrar mulheres pela metade, o tipo de coisa que se vê na televisão. Era um tipo invisível de magia, que nos rodeava como o ar que respiramos.

No Malaui, a magia se apresentava de muitas formas – a mais comum era a dos médicos feiticeiros, que chamávamos de *sing'anga*. Esses feiticeiros eram seres misteriosos. Alguns se mostravam em público, geralmente no mercado aos domingos, sentados sobre cobertores cheios de ossos, especiarias e pós que alegavam poder curar qualquer coisa, da caspa ao câncer. As pessoas pobres caminhavam quilômetros para ver esses homens, já que não tinham dinheiro para consultar médicos de verdade. Isso gerou muitos problemas, especialmente se a pessoa estivesse verdadeiramente doente.

A diarreia, por exemplo. No campo, a diarreia é uma doença comum que surge quando se bebe água suja e que, se não tratada, pode levar à desidratação. Todos os anos, muitas crianças morrem de um problema que é facilmente curado com hidratação e simples antibióticos. Mas, sem dinheiro e sem fé na medicina moderna, os aldeões arriscavam a sorte com o diagnóstico do *sing'anga*:

– Ah, eu sei qual é o problema – diz o feiticeiro. – Você tem um caracol.

– Um caracol?

– Tenho quase certeza. Precisamos removê-lo imediatamente!

O feiticeiro vai até sua bolsa de raízes, pós e ossos e puxa uma lâmpada.

– Levante sua camisa – ele diz.

Sem conectar a lâmpada em nada, ele a move lentamente sobre o abdômen do doente, como se iluminasse alguma coisa que só ele pode detectar.

– Aqui está ele! Pode ver o caracol se mexer?

– Ah, sim. Acho que consigo vê-lo. Sim, ali está ele!

O feiticeiro volta a procurar na bolsa alguma poção mágica, que espalha na barriga do doente.

– Está melhor? – ele pergunta.

– Sim. Acho que o caracol sumiu. Não o sinto se mexer.

– Ótimo. São três mil kwachas.

Por mais algum dinheiro extra, o *sing'anga* pode lançar maldições sobre seus inimigos – enviar inundações a seus campos, hienas a seus galinheiros ou terror e tragédia a seus lares. Foi o que aconteceu comigo quando eu tinha seis anos de idade – ou pelo menos penso que tinha.

Eu estava brincando em frente à minha casa quando um grupo de meninos passou carregando um saco enorme. Eles trabalhavam cuidando das vacas de um agricultor vizinho. Naquela manhã, quando estavam conduzindo o rebanho de um pasto para outro, encontraram o saco no meio da estrada. Abrindo-o, descobriram que ele estava cheio de chicletes. Podem imaginar um tesouro desses? Nem consigo dizer quanto eu adorava chicletes!

Então, quando passaram por mim, um deles viu que eu brincava em um charco.

– Vamos dar alguns para esse garoto? – ele perguntou.

Não me mexi nem disse uma palavra sequer. Um pouco de lama pingou do meu cabelo.

– Por que não? – disse o amigo dele. – Ele parece miserável.

O garoto foi até o saco, apanhou um punhado de chicletes – de todas as cores – e os derramou nas minhas mãos. Assim que os meninos desapareceram, enfiei todos na boca. O suco doce pingou pelo meu queixo e manchou minha camisa.

Eu não tinha feito nada errado, mas os chicletes pertenciam a um comerciante local que apareceu na nossa casa no dia seguinte. Ele contou ao meu pai que o saco tinha caído da sua bicicleta quando ele saía do mercado. Quando ele deu meia-volta para procurá-lo, o saco tinha desaparecido. Os moradores de uma aldeia próxima tinham lhe falado sobre o bando de meninos. E agora ele queria vingança.

– Fui consultar o *sing'anga* – ele disse ao meu pai. – E quem comeu os chicletes vai se arrepender.

De repente, fiquei apavorado. Eu sabia o que o *sing'anga* podia fazer com uma pessoa. Além de causar a morte e a doença, os feiticeiros controlavam exércitos de bruxas que poderiam me raptar durante a noite e me encolher ao tamanho de um verme! Eu tinha ouvido dizer que elas haviam transformado crianças em pedras, abandonando-as para sofrer uma eternidade em silêncio.

Eu já sentia o *sing'anga* me vigiando, planejando a maldade. Com o coração disparado, corri para a mata que ficava atrás da minha casa para tentar escapar, mas foi inútil. Senti o estranho ardor de seu olho mágico brilhar por entre as árvores. Ele me pegara. A qualquer momento, eu emergiria da mata como um besouro ou como um trêmulo camundongo prestes a ser devorado pelos falcões. Sabendo que tinha pouco tempo, corri para casa, onde meu pai estava debulhando um monte de espigas de milho e jogando-as no colo.

– Fui eu! – gritei, as lágrimas escorrendo-me pela face. – Comi os chicletes roubados. Não quero morrer, papai. Por favor, não deixe que eles me peguem.

Meu pai olhou para mim um instante e balançou a cabeça.

– Foi você, é? – ele disse, sorrindo.

Será que ele não entendia que eu estava encrencado?

– Bem – ele disse, e seus joelhos estalaram quando ele se levantou da cadeira. Meu pai era um homem grande. – Não se preocupe, William. Vou procurar o comerciante e explicar. Tenho certeza de que vamos encontrar uma solução.

Naquela tarde, meu pai caminhou oito quilômetros até a casa do comerciante e lhe contou o que tinha acontecido. E, embora eu só tivesse comido alguns chicletes, pagou ao homem pelo saco todo, que era quase todo o dinheiro que possuía. Naquela noite, depois do jantar, perguntei a ele se acreditava mesmo que eu estava em apuros. Ele ficou muito sério.

– Ah, sim, cheguei bem na hora – ele disse, e depois começou a rir tanto que sua cadeira balançava. – *William, quem sabe o que estava reservado para você?*

Meu medo dos feiticeiros e mágicos ficava ainda maior quando meu avô contava histórias. Se vocês conhecessem o meu avô, poderiam pensar que ele também era um feiticeiro. Era tão velho que não se lembrava do ano em que nascera. Estava tão enrugado que suas mãos e seus pés pareciam ter sido esculpidos em pedra. E suas roupas! Todos os dias meu avô insistia em usar o mesmo casaco e as mesmas calças em farrapos. Sempre que vinha do bosque, fumando seu charuto enrolado à mão, qualquer um podia pensar que uma das árvores tinha criado pernas e começado a caminhar.

Foi meu avô que me contou a melhor história de magia que eu ouvi. Muito tempo atrás, antes que as imensas fazendas de milho e tabaco surgissem e devastassem nossas florestas, quando a gente não conseguia acompanhar o caminho do sol por entre as árvores, nosso país tinha muitos antílopes, zebras e gnus, além de leões, hipopótamos e leopardos. Vovô era um famoso caçador, tão habilidoso com seu arco e sua flecha que seu dever era proteger a aldeia e fornecer a carne de que ela precisava.

Certo dia, quando meu avô estava caçando, deparou-se com um homem que morrera envenenado por uma víbora. Ele alertou a aldeia mais próxima e, logo depois, seus habitantes voltaram com seu feiticeiro.

O *sing'anga* deu uma olhada no morto, pegou sua sacola e jogou um punhado de remédios nas árvores. Segundos depois, centenas de cobras começaram a sair das sombras e se juntaram ao redor do cadáver, hipnotizadas pelo feitiço. O feiticeiro então subiu no peito do morto e bebeu uma poção que escorreu através de seus pés para o corpo sem vida. Então, para espanto do meu avô, os dedos do morto começaram a se mexer e ele se sentou. Juntos, ele e o feiticeiro examinaram as presas de cada serpente, procurando aquela que o mordera.

– Acredite – disse-me meu avô. – Vi isso com meus próprios olhos.

Eu com certeza acreditei nisso, assim como em todas as outras histórias sobre bruxas e coisas inexplicáveis. Toda vez que percorria as trilhas escuras sozinho, minha imaginação corria solta e selvagem.

O que mais de amedrontava eram os *gule wamkulu*, dançarinos mágicos que viviam nas sombras tenebrosas da floresta. Às vezes eles apareciam durante o dia, em cerimônias tribais quando os meninos *chewa* se tornavam homens. Diziam que eles não eram pessoas de verdade, mas espíritos de nossos ancestrais enviados para vagar pelo mundo. Tinham uma aparência sinistra: todos tinham o rosto e a pele de animais, e alguns andavam sobre pernas de pau para parecer mais altos. Certa vez, vi um deles fugir subindo por um mastro como uma aranha. E, quando eles dançavam, era como se mil homens estivessem dentro de seus corpos, cada um se movendo na direção oposta.

Quando os *gule wamkulu* não se apresentavam dançando, viajavam pelas florestas ou *dambos* procurando meninos para levá-los de volta aos cemitérios. O que acontecia lá eu nunca quis saber. Sempre que via um deles, mesmo numa cerimônia, eu largava tudo e corria. Uma vez, quando eu era muito pequeno, um dançarino mágico apareceu de repente em nosso pátio. Sua cabeça estava enrolada num saco de farinha, mas por baixo via-se uma longa tromba de elefante e um buraco aberto como se fosse uma boca. Como minha mãe e meu pai estavam nos campos, eu e minhas irmãs corremos para o mato, de onde vimos o dançarino agarrar nossa galinha preferida.

Ao contrário dos *gule wamkulu* ou do *sing'anga* no mercado, a maioria das bruxas e feiticeiros nunca revelava sua identidade. Nos lugares onde praticavam sua magia, o mistério predominava como um fenômeno climático estranho. Na cidade próxima de Ntchisi, homens carecas e altos como árvores caminhavam pelas ruas à noite. Caminhões fantasmas rodavam de um lado para outro, aproximando-se rapidamente com os faróis piscando e o motor roncando alto. No entanto, quando as luzes finalmente passavam, não se via nenhum caminhão. Ouvi dizer que, em uma das aldeias próximas, um homem tinha sido tão encolhido por um feiticeiro que sua mulher o guardava dentro de uma garrafa de Coca-Cola.

Além de lançar feitiços e maldições, os *sing'angas* frequentemente lutavam entre si. À noite, juntavam seus aviões fora do país e rondavam os céus em busca de crianças para raptar como soldados. Os aviões das bruxas podiam ser qualquer coisa: uma cabaça de madeira, uma vassoura, um simples chapéu. E todos eram capazes de voar por grandes distâncias – do Malaui a Nova Iorque, por exemplo – em apenas um minuto. Crianças eram usadas como porquinhos-da-índia e enviadas para testar os poderes de feiticeiros rivais. Em outras noites, visitavam os acampamentos de outras bruxas, onde jogavam futebol místico, no qual as bolas eram cabeças humanas roubadas de pessoas enquanto dormiam.

Deitado na cama à noite, eu ficava com tanto medo ao pensar nessas coisas que gritava para o meu pai.

— Papai! — eu gritava, chamando-o à minha porta. — Não consigo dormir. Estou com medo.

Meu pai não tinha espaço para a magia em sua vida. Para mim, isso o fazia parecer ainda mais forte. Como um devoto presbiteriano, acreditava que Deus — e não o feitiço — era sua melhor proteção.

— Respeite os feiticeiros — ele me dizia, esticando as cobertas da minha cama —, mas lembre, William, que, com Deus ao seu lado, eles não têm nenhum poder contra você.

Eu confiava em meu pai, mas, quando fiquei mais velho, comecei a me perguntar como ele explicava Chuck Norris, o Exterminador do Futuro e Rambo — que, em um determinado verão chegaram ao centro comercial de Wimbe, causando enorme tumulto.

Esses homens apareciam em filmes de ação que passavam no *videoshow* local — que na verdade não passava de uma cabana de taipa com bancos, uma tevê e um aparelho de videocassete. À noite, coisas maravilhosas e misteriosas aconteciam ali, mas, como eu não tinha permissão para sair depois que anoitecia, nunca vi nenhuma delas. Na manhã seguinte, tinha que ouvir histórias dos amigos cujos pais não eram tão rigorosos.

— Na noite passada, vi o melhor de todos os filmes — disse meu amigo Peter. — Rambo pulou do alto da montanha sem parar de atirar até chegar ao chão. Todos os que estavam na frente dele morreram, e a montanha explodiu. — E fingiu agarrar uma metralhadora e atirar em todas as direções.

— Quando vão começar a mostrar esses filmes durante o dia? — perguntei. — Nunca consigo ver nada.

Na noite em que *O Exterminador do Futuro* chegou ao *videoshow*, foi simplesmente chocante. Quando Peter me encontrou na manhã seguinte, ainda estava em estado de choque.

— William, não entendi esse filme. O homem foi atingido na esquerda, na direita, no meio e ainda ficou vivo. Estou lhe dizendo, esse Exterminador deve ser o maior feiticeiro que já existiu.

Aquilo me pareceu fantástico.

– Você acha que os americanos têm essa magia? – perguntei. – Não acredito nisso.

– Foi isso que eu vi – disse Peter. – Estou lhe dizendo a verdade.

Embora tenham se passado anos antes que eu visse algum desses filmes, eles começaram a influenciar nossas brincadeiras em casa. Numa delas eu brincava com meu primo Geoffrey usando armas que fabricávamos com um arbusto *mpoloni*. Encontrando um ramo reto, removíamos o miolo, como se tirássemos o interior de uma caneta esferográfica, e usávamos essa vareta para atirar bolinhas de papel.

Eu era o capitão de um time, e Geoffrey, o capitão do outro. Com nossos primos, formávamos um esquadrão e caçávamos uns aos outros entre as casas da nossa aldeia.

– Vocês vão para a esquerda e eu vou para a direita! – Foi assim que certa tarde instruí meus soldados e, então, engatinhamos na terra vermelha. Minha pobre mãe estava constantemente esfregando nossas roupas.

Logo adiante, ao virar a esquina, localizei as calças de Geoffrey. Lentamente, sem espantar as galinhas, eu me esgueirei por trás dele para emboscá-lo com facilidade.

– *Tonga!* – gritei e apertei a vareta, lançando uma grande chuva de lama na cara dele.

Ele apertou o coração e caiu no chão.

– *Eh, mayo ine* – ele disse, arfando. – Você me pegou.

Éramos um forte bando de três: eu, Geoffrey e nosso amigo Gilbert. O pai do Gilbert era o chefe do nosso distrito de Wimbe e todos o chamavam de Chefe Wimbe, embora seu verdadeiro nome fosse Albert. Quando Geoffrey e eu enjoávamos de brincar no pátio, costumávamos ir para a casa do Gilbert.

– Vamos ver quantas galinha podemos contar no caminho – eu dizia, pegando a trilha.

Ir à casa do Gilbert era sempre divertido, porque o chefe nunca parava de trabalhar. Normalmente, encontrávamos uma longa fila de motoristas de caminhão, agricultores, comerciantes e vendedoras do mercado, todos esperando para fazer suas queixas. Como suspeitamos, muitos deles carregavam uma galinha debaixo do braço – um presente para o chefe.

– Eu contei dez – cochichou Geoffrey.

– *Yah* – eu disse. – Deve haver um montão de problemas hoje.

O mensageiro e guarda-costas do chefe, sr. Ngwata, estava parado à porta vestido como se fosse um policial, com suas calças curtas e botas do exército. O trabalho do sr. Ngwata era proteger o chefe e selecionar os visitantes, além de ser o cobrador de galinhas.

– Venham, venham – ele disse, fazendo-nos entrar.

O chefe estava sentado no sofá da sala de estar, vestido com uma camisa limpa e belas calças. Os chefes geralmente se vestiam como homens de negócios, nunca com penas ou pele de animais, como nos filmes. Outra coisa sobre o Chefe Wimbe era que ele amava seu gato, que era preto e branco e não tinha nome. No Malaui, só os cães têm nome, mas não sei por quê.

Gilbert estava no seu quarto, cantando com o rádio. Ele tinha uma linda voz e sonhava em se tornar um cantor famoso. Minha voz parecia a de uma galinha-d'angola como as que guinchavam nas árvores, mas nunca deixei que isso me impedisse de cantar.

– Gilbert, *bo*!

– *Bo*!

– Firme?

– Firme!

Essa era a gíria que usávamos toda vez que nos encontrávamos. A palavra *bo* era uma abreviação de *bonjour*, usada por alguns colegas que estavam aprendendo francês na escola e queriam se exibir. Não sei a origem desse "firme", mas era como dizer "Está tudo bem com você?". Se estivéssemos nos sentindo muito bem, íamos um pouco mais longe:

– Certeza?

– Certeza!

– Pronto?
– Pronto!
– *Ehhhhh.*
– Vamos para o centro comercial – eu disse. – Aposto que há um montão de tesouros do lado de fora de Ofesi.

O Ofesi Boozing Centre era o bar de Wimbe. Seu drinque mais popular era o *shake-shake*, uma espécie de cerveja de milho que se podia comprar com um cartão de papelão. Eu não tinha permissão para entrar no Ofesi, mas podia apostar que eles não tinham uma lata de lixo, porque toda noite os homens jogavam seus cartões usados na estrada. Gilbert, Geoffrey e eu gostávamos de colecioná-los. Depois de lavados, eles se transformavam em perfeitos caminhões de brinquedo.

Embora vivêssemos numa pequena aldeia na África, fazíamos as mesmas coisas que as crianças de todo o mundo. Só que usávamos materiais diferentes. Depois de conversar com amigos que conheci na América, sei que isso é verdade. Crianças de qualquer lugar tinham brincadeiras semelhantes. E, vendo sob esse ponto de vista, o mundo não era tão grande assim.

Meus amigos e eu adorávamos caminhões. Para mim, não importava de que tipo fosse. Gostávamos dos caminhões basculantes de quatro toneladas que rodavam pelas grandes fazendas espalhando poeira. Gostávamos das pequenas caminhonetes que levavam passageiros de Wimbe para Kasungu, a cidade mais próxima. Amávamos todos eles e, cada semana, competíamos para ver quem conseguia construir o melhor. Sei que na América se pode comprar caminhões de brinquedo numa loja. No Malaui, construímos os nossos com cartões de *shake-shake* e pedaços de arame. Para nós, eram igualmente bonitos.

O eixo das rodas eram pedaços de arame que comprávamos colhendo mangas. E, para as rodas, usávamos tampas de garrafas. Melhores ainda eram as tampas de plástico dos recipientes de óleo de cozinha de nossas mães, que duravam muito mais tempo. E, se usássemos uma lâmina de barbear de nossos pais, recortávamos desenhos nas rodas, o que dava aos pneus de cada caminhão uma marca singular. Assim, os rastros na lama nos diziam se o caminhão pertencia a Kamkwamba Toyota, por exemplo, ou a Gilbert Company Ltd.

Também construíamos pequenos carrinhos que chamávamos de *chigiriri* e pareciam *karts* americanos. A estrutura era feita de troncos espessos de árvores, de preferência que tivessem grandes nós ou uma forquilha que pudesse ser usada como assento. Então, procurávamos grandes raízes de tubérculos chamadas *kaumbu,* que pareciam batatas-doces mutantes, e as moldávamos na forma de rodas. Os eixos eram estacas esculpidas em um tronco de eucalipto.

Depois, amarrávamos todas as partes com ramos flexíveis da videira e torcíamos para que tudo não desmoronasse. Para fazer o carrinho andar, uma pessoa o puxava com uma longa corda, enquanto o motorista empurrava-o com os pés. Com dois carros lado a lado, organizávamos corridas no centro comercial.

– Vamos correr!
– Com certeza!
– O último a chegar à barbearia fica cego!
– Já!

Depois da corrida, se tivéssemos algum dinheiro no bolso, parávamos na loja do sr. Banda para beber uma Fanta gelada e chupar balas. O sr. Banda era o dono do que se podia chamar no Malaui de uma loja de conveniência. Em suas prateleiras havia pacotes de margarina e leite em pó, porque a maioria das pessoas não tinha geladeira em casa para manter o leite frio. Vendia também aspirina, pastilhas para a tosse, loções, barras de sabonete Lifebuoye e, na prateleira mais baixa, sal de frutas Drew. Eu não sabia para que servia o sal de frutas, mas tinha certeza de que tinha um gosto de podre.

Sempre que entrávamos, o sr. Banda nos saudava com o cumprimento habitual do Malaui.

– *Muli bwanji* – ele dizia. Como vão?
– *Ndiri bwino. Kaya inu* – respondíamos. Estou bem. E você?

Depois disso, a conversa tomava o rumo mais habitual.

– Estão se mantendo longe de problemas?
– *Yah.*
– Ajudando sua mãe e seu pai em casa?
– *Yah.*

– Bem, mandem a eles os meus cumprimentos.
– Certo.

Se estivéssemos mesmo com fome, juntávamos nosso dinheiro e nos dirigíamos ao balcão *kanyenya*, que equivalia a um restaurante *fast-food* malauiano. Na verdade, não passava de uma tina de óleo fervente sobre a chama de um fogão, mas a carne frita de cabra com batatas que eles serviam era divina.

O homem que cuidava do fogo dava um grunhido e perguntava: "Quanto?", e nós respondíamos "Cinco kwachas", ou a quantia de dinheiro que tivéssemos. Cinco kwachas correspondiam a menos de um dólar americano. Então, o homem se virava e cortava alguns pedaços de carne de uma cabra pendurada num trilho. Jogava a carne no óleo fervente, acompanhada de um punhado de fatias de batata. Quando tudo vinha à tona, ele servia o prato em um balcão de madeira, junto com um monte de sal onde a gente mergulhava a carne.

– Sua mãe é uma boa cozinheira – disse-me Gilbert certa vez. – Mas nunca fez alguma coisa tão boa quanto isto.
– *Yah*.

Meus pais queriam que eu voltasse para casa antes do anoitecer, mas essa era para mim a melhor hora do dia. Era quando meu pai e tio John – pai do Geoffrey – terminavam de trabalhar na lavoura de milho e iam para casa jantar. Na cozinha, minha irmã mais velha, Annie, ajudava minha mãe a preparar a comida. Como não tínhamos eletricidade, cozinhávamos tudo no fogo. Enquanto Annie alimentava as chamas, minha mãe mexia um pote de algo delicioso, deixando os aromas escapar para o pátio. Quando eu era criança, era muito difícil para mim esperar – mesmo se tivesse acabado de comer *kanyenya* no centro comercial. Com a barriga roncando, eu ficava parado à porta, implorando.

– Só mais uns minutinhos – minha mãe dizia. – Depois que você lavar o rosto e as mãos, tudo vai estar pronto.

Antes do jantar, meus primos costumavam juntar-se no pátio para jogar futebol. Como não tínhamos dinheiro para ter uma bola de verdade, fazíamos a nossa com sacos de plástico das lojas (que chamávamos de *jumbos*) amassados e amarrados com um cordão. Elas não quicavam com uma bola de futebol de verdade, mas nos permitiam jogar. Em toda a África, as crianças usavam as mesmas bolas de *jumbos*.

Na temporada de chuvas, quando as mangas estavam maduras, enchíamos nossos baldes nas árvores dos vizinhos e essa era a nossa sobremesa. Mordíamos a fruta suculenta e deixávamos o suco doce escorrer pelos dedos. Quando não havia luz da lua para jogar futebol, meu pai reunia todas as crianças na sala de visitas, acendia uma lamparina de querosene e nos contava histórias do nosso folclore.

– Todos quietos e em silêncio – ele dizia. – Agora, já contei a vocês a história do leopardo e o leão?

– Conte de novo, papai!

Às vezes meu pai esquecia as histórias e inventava outras, criando novos personagens e finais surpreendentes. Embora adorássemos ouvir essas lendas, na verdade era difícil distinguir a vida real da fantasia.

Na época da plantação e da colheita, duas tarefas que exigiam muito trabalho, meu pai e tio John contratavam trabalhadores para ajudá-los. O mais famoso desses trabalhadores era o sr. Phiri, homem de uma força incrível. Na verdade, sempre que tio John e meu pai precisavam arar um novo campo para plantar, não se preocupavam de ter um trator. Mandavam Phiri, que arrancava árvores inteiras da terra como se fossem sementes.

Todo mundo sabia que o segredo de Phiri era a *mangolomera*, um tipo de magia que dava uma força sobre-humana. Só os feiticeiros mais poderosos do Malaui podiam oferecer essa poção, uma pasta feita de ossos de leopardos e leões. O feiticeiro cortava a pele da pessoa com uma navalha especial e esfregava o remédio para ser absorvido pelo sangue. Depois disso, a poção nunca mais saía do corpo. Na verdade, a magia se tornava mais forte com o tempo. Mas só os homens mais resistentes como Phiri podiam viver com essa poção dentro do corpo.

Phiri era tão forte que nenhum homem ou animal podia vencê-lo. Uma vez, quando estava trabalhando nos campos, uma mamba-negra venenosa rastejou perto do seu pé e se preparou para dar o bote. Mas Phiri não teve medo. Aproximou-se e atacou a mamba com um ramo de capim, deixando-a paralisada. Depois, agarrou-a pela cabeça e atirou-a longe, a caminho de Moçambique. Diziam que ele levava outra mamba no bolso para dar sorte e que a cobra tinha muito medo de picá-lo.

Quando eu estava por volta dos oito ou nove anos, a ideia da *mangolomera* me parecia cada dia mais atraente. Eu era muito baixinho, o que criava constantes problemas de *bullying* na escola. O pior dos meus colegas chamava-se Limbikani. Era alto, musculoso e tinha irmãos mais velhos, o que o tornava ainda mais cruel.

Por algum motivo, Limbikani gostava de azucrinar a mim e ao Gilbert. Um dia, a caminho da escola, ele esperou por nós na estrada e saltou de repente de um arvoredo.

– Ora, veja, é William e seu amigo Pequeno Chefe Wimbe.

– Deixe-nos em paz – eu gritei, mas minha voz rachada me denunciou.

Limbikani pôs o peito na cara do Gilbert.

– Onde está o grande chefe, macaquinho? Parece que ele não está por aqui para protegê-lo.

Ele agarrou nossas camisas por trás e nos suspendeu no ar como dois filhotinhos miseráveis. Depois roubou nosso almoço. E isso aconteceu muitas vezes.

Meu tamanho não só me deixava sem defesa contra provocações, mas também me fazia ser caçado no campo de futebol. Eu gostava de futebol mais do que qualquer outra coisa, e toda semana colava o ouvido na Rádio Um para ouvir a Superliga do Malaui em ação. Meu time preferido era o dos Nomads, cujo astro era Bob "Salvador" Mpinganjira. O Salvador ganhara esse apelido numa noite de Natal, quando nos salvou de uma derrota contra os Big Bullets, e nem posso dizer quanto eu odiava os Big Bullets.

Apesar do meu tamanho, eu queria muito ser um jogador tão famoso quanto meus heróis. Sempre que nós, os meninos, nos juntávamos para treinar ou jogar, eu era um astro – na minha cabeça.

Oh, como eu ia brilhar – ziguezagueando entre os zagueiros e chutando a bola a uma velocidade de míssil. Até que um dia eu estava exibindo minhas várias habilidades quando Geoffrey e alguns outros garotos me gritaram: "Ei, Kayira, passe a bola!".

Kayira, como Peter Kayira.

Apesar de meu amor pelos Nomads, meu maior herói no mundo todo era Peter Kayira – o melhor jogador da seleção nacional e, para mim, mais importante que o presidente. Ser chamado de Kayira não era pouca coisa. Eu não parava de sorrir.

Logo todo mundo no campo de jogo me chamava de Kayira. Até quando eu ia ao centro comercial era cumprimentado com gritos e elogios:

– Ei, Kayira, ouvi dizer que você jogou como um leão!

Mas, quando era hora escolher os times para uma competição, os capitães me ignoravam. Achando que isso era um grave erro da parte deles, eu me queixava, e logo me diziam para me sentar o banco de reservas. *Como podia ser isso?*

Bem, pensei, os capitães eram caras espertos. Talvez estivessem me poupando de uma contusão, guardando-me como arma secreta para as finais. Isso fazia eu me sentir ainda mais especial. Mas, enquanto eu ficava fora do campo, os outros jogadores passavam correndo por mim e gritavam: "Esquente o banco, Kayira!", ou "Kayira, logo vamos precisar de você... como *bolela*". *Bolela* era o gandula.

Foi quando percebi que tudo aquilo era uma zombaria. Chamavam-me de Kayira não por minhas habilidades arrasadoras, mas porque eu era um péssimo jogador. No verão seguinte, decidi fazer alguma coisa para mudar isso.

O sr. Phiri tinha um sobrinho chamado Shabani que vivia se gabando de ser um verdadeiro *sing'anga*, possuidor da *mangolomera*. Gilbert e eu desconfiávamos de que era tudo papo furado, mas não tínhamos certeza. Shabani era baixinho como eu, mas vangloriava-se como se fosse um homem três vezes do seu tamanho. Isso nos fazia pensar. Shabani não fora à escola, mas trabalhava o dia todo nos campos com o tio. Por isso, geralmente estava lá quando eu voltava para casa à tarde, queixando-me dos valentões ou de ficar no banco de reservas.

Um dia, depois de ouvir outra de minhas patéticas histórias, ele me puxou de lado:

– Todo dia você se queixa desses garotos, e estou farto de ouvir isso – ele disse. – Posso lhe dar *mangolomera*. Você pode se tornar o cara mais forte da escola. Todos os valentões vão ter medo de você.

Naturalmente, ter superpoderes era o sonho de uma vida toda. No campo de futebol, eu poderia voar como um leopardo, com pernas capazes de disparar um chute como uma bazuca. Bum! Reagindo à minha *mangolomera*, os valentões da escola iam molhar as calças de medo.

Meu pai tinha me aconselhado a não brincar com magia. Mas agora, com Shabani ali na minha frente, sorrindo como um suricato, não resisti.

– Tudo bem – deixei escapar. – Vou aceitar.

– Vamos fazer isso no bosque de eucaliptos – ele disse. – Encontre-me lá em uma hora e traga vinte *tambalas*. – Uma *tambala* correspondia a um centavo de kwacha no dinheiro malauiano.

Uma hora mais tarde, cheguei ao bosque e esperei na sombra por Shabani. Meu coração batia disparado. Vi Shabani chegar por entre as árvores, carregando uma sacola preta que continha alguma coisa pesada.

– Está preparado? – ele perguntou.

– *Yah*, estou preparado.

– Então sente-se.

Sentamo-nos na terra vermelha macia, e ele abriu a sacola de maravilhas. Lá de dentro, puxou uma pequena caixa de fósforos.

– Aqui tenho cinzas de ossos de leões e leopardos, assim como outras raízes e ervas.

Ele pescou outro pacote cheio de um pó estranho, que misturou com as cinzas.

– Estes outros materiais são extremamente raros, só encontrados no fundo do oceano.

– E como você os conseguiu?

– Olhe, garoto – ele esbravejou. – Não sou uma pessoa comum. Consegui isso no fundo do oceano! Fiquei lá embaixo três dias inteiros. Se eu quisesse, podia transformar qualquer pessoa em sua aldeia estúpida em uma formiga.

Portanto, não brinque comigo, *bambo*. Se você quer esse poder, vai lhe custar montões de dinheiro. O que estou lhe dando é apenas um gostinho.

Não o vi pegar sua navalha mágica. Antes de eu perceber, ele agarrou minha mão e fez um corte em cada uma das minhas juntas.

– Aiii! – gritei.

– Fique quieto e não grite – ele disse – Se gritar, não vai funcionar.

– Não estou gritando.

Minhas juntas se iluminaram com o sangue. Em cada uma, Shabani jogou um pozinho e esfregou os cortes. A dor foi tão forte como a picada de cem abelhas. Quando ele terminou as duas mãos, suspirei de alívio.

– Viu? Não gritei – eu disse, ofegante. Eu tinha prendido a respiração. – Você acha que vai funcionar?

– Ah, sim, vai funcionar.

– Quando? – perguntei. – Quando terei minha força?

Ele pensou alguns segundos e disse:

– Dê-lhe três dias para percorrer suas veias. Depois disso, você vai senti-la.

– Três dias.

– *Yah*, e não coma quiabo e fique longe de folhas de batata-doce.

– Vou lembrar.

– E, finalmente – ele acrescentou –, não conte a *ninguém*.

Saí do bosque esfregando minhas juntas mutiladas. Embora doessem a ponto de me enlouquecer, tive que admitir que pareciam resistentes. Naquela noite, eu me escondi no meu quarto e não falei com ninguém.

Três dias é muito tempo para esperar, mas foi bom para o meu plano. Era o início das férias de verão, e na manhã seguinte viajei para visitar meus avós, que moravam a algumas horas de viagem, na cidade de Dowa. Era o lugar perfeito para receber minhas forças antes de voltar para casa como herói.

Bem, três dias se arrastaram tão lentamente que pensei que ia morrer de tédio. O pior é que minha avó me pôs para trabalhar, limpando o pátio e o galinheiro, e esfregando o chão da cozinha, o que deixou meus braços cansados e molengas. Quando vão ficar fortes?, eu me perguntava.

Mas no quarto dia acordei e imediatamente me senti diferente. Meus braços estavam pesados, como se carregados de pedras. Flexionei meus músculos e senti que estavam firmes como troncos de árvores, e minhas mãos, sólidas como dois tijolos. Saindo de casa, corri pela estrada de terra para testar minha velocidade. Com certeza, senti o vento no rosto como nunca antes.

Naquela tarde, meu tio Mada me convidou para ver um jogo de futebol no campo municipal. *Perfeito*, pensei. *Aqui posso testar minhas forças.* Como sempre, o lugar estava lotado de gente.

Mas eu não estava interessado no jogo. Em vez disso, rastreei o público à procura de um garoto grandão. Quando o encontrei – mais ou menos da minha idade, de pé no canto mais distante do campo –, andei até ele e pisei em seu pé descalço. Ele soltou um grito.

– Desculpe! – ele disse, saltitando de um lado para outro. – Você pisou no meu pé!

Eu o encarei, sem dizer nada.

– Eu disse que você pisou no meu pé e me machucou.

– E daí? – eu disse.

– Bem, não é educado, você não acha?

– Então por que você não faz alguma coisa?

Ele pareceu confuso.

– O que você quer dizer com isso?

– Você me ouviu. Faça alguma coisa, *kape*. – Um *kape* é um idiota babão.

– Bem, nesse caso – ele disse –, vou bater em você.

– É o que eu esperava que você dissesse.

Começamos a dançar em círculos e não perdi tempo. Disparei uma explosão de golpes, tão rápidos e tão aterrorizantes que a visão dos meus braços ficou embaçada. Para começar, apliquei-lhe uns diretos e cruzados, e alguns *uppercuts*. Meus punhos de aço se moviam com tal violência que eu nem os sentia quebrar a cara dele. Pouco depois, porém, comecei a sentir pena do garoto, de modo que me afastei e respirei fundo. Mas, para minha surpresa, ele continuava de pé. E, pior, estava rindo de mim!

Antes que eu pudesse desferir outro ataque mortal, senti uma dor terrível no olho, depois outra e mais outra. Logo estava caído no chão, sendo socado nas costas e na barriga. Quando meu tio correu para me salvar, eu estava gritando e coberto de pó.

– O que está fazendo, William? – ele gritou. – Você já devia saber que não podia lutar. Esse garoto tem duas vezes o seu tamanho.

Eu estava tão envergonhado que voltei correndo para a casa dos meus avós e não saí de lá pelo resto do fim de semana. Quando voltei para casa, encontrei Shabani e fui logo dizendo:

– Sua magia não funcionou! Você me prometeu força, mas fui derrotado em Dowa!

– Claro que funciona – ele disse, e depois pensou por um segundo. – Escute, você tomou banho no dia que a recebeu?

– Sim.

– Então foi isso. Minha magia não permite que a pessoa tome banho.

– Você nunca disse isso.

– Claro que disse.

– Mas...

Como veem, fui claramente enganado. Minha primeira e única experiência com magia me deixou com as mãos feridas, um olho latejando e uma dose saudável de ceticismo. Aos poucos, bruxas e feiticeiros já não me pareciam tão assustadores ou poderosos, e comecei a ver o mundo de maneira diferente. Passei a ver que ele era explicado pelos fatos e pela razão, e não pelo mistério e pela mistificação. Mas, nesse mundo, ainda existiam os mesmos sofrimentos.

Khamba

Em janeiro de 1997, quando eu estava com nove anos, minha família teve uma repentina e trágica perda.

Uma tarde, quando trabalhava no campo, meu tio John se sentiu muito mal e desmaiou. Meu pai levou-o correndo para o pequeno ambulatório de Wimbe, onde o médico o diagnosticou com tuberculose, uma doença mortal que ataca os pulmões. Ele o aconselhou a ir direto para o hospital de Kasungu, a uma hora de viagem. Mas o caminhão do tio John não estava funcionando, e, quando meu pai conseguiu tomar emprestado outro veículo, o irmão já estava morto.

Foi a primeira vez que vi alguém morrer e também que vi meus pais chorar. Fiquei muito triste por Geoffrey, que agora estava sem pai. Nos dias seguintes, as pessoas iam à casa dele para confortar sua mãe e prestar respeito. De vez em quando, ele saía da casa chorando e parecendo confuso.

– Primo, e agora? – ele me perguntou. – O que vai acontecer?

Tudo que consegui pensar em dizer foi: "Não sei".

Depois da morte de tio John, a situação ficou muito difícil. O irmão e sócio tinha morrido, e meu pai tinha que administrar a lavoura sozinho. Agora cabia a mim e a Geoffrey ajudar a manter sua prosperidade. Todos nós temíamos que tempos difíceis estivessem a caminho.

Não muito depois do funeral do tio John, meu tio Sócrates perdeu o emprego em uma grande fazenda de tabaco em Kasungu. A casa da família também ficava na fazenda, o que significava que eles foram obrigados a voltar para a nossa aldeia. Tio Sócrates tinha sete filhas, o que foi uma ótima notícia para minhas irmãs. Eu pouco me importava com aquele bando de meninas. Mas, quando ajudava meu tio a descarregar o caminhão de mudança, alguma coisa pulou no chão.

Aos meus pés estava um cachorro grandão e babão.

– Volte! – gritou tio Sócrates, enxotando o cão. Mas ele continuou parado, olhando direto para mim.

– Esse é nosso cão, Khamba – ele disse. – Pensei em trazê-lo para guardar as galinhas e as cabras. Era o que ele fazia melhor na fazenda.

Khamba era a coisa mais estranha que eu já vira. Era todo branco, tinha manchas pretas na cabeça e no corpo, como se alguém o tivesse perseguido com um balde de tinta. Tinha olhos castanhos e o nariz salpicado de pontos rosa.

Diferentemente da maioria dos cães do Malaui, Khamba também era grande, mas muito magro. Na maior parte da África, os cães são usados para proteger as casas e fazendas. Ninguém os compra como animais de estimação, como na América, e com certeza ninguém gasta dinheiro com eles, comprando-lhes brinquedinhos ou ossos de borracha. No Malaui, os cães comiam ratos ou restos de comida. Em toda a minha vida, nunca vi um cachorro gordo.

Enquanto Khamba estava ali sentado, olhando para mim, um fio de baba escorreu da sua boca. E ele cheirava mal, como fruta mofada. Assim que tio Sócrates entrou em casa, ele subiu nas patas traseiras e plantou as duas patas dianteiras no meu peito.

– Ei, saia daqui! – gritei. Eu não queria que as pessoas pensassem que eu era amigo de um cachorro. – Vá caçar galinhas ou qualquer outra coisa!

Mas Khamba não se mexeu. Eu podia jurar que ele até sorriu para mim.

Na manhã seguinte, tropecei em alguma coisa a caminho do banheiro. Era Khamba, deitado bem na frente da minha porta, com as orelhas em pé, esperando.

– Pensei que eu tinha dito para você me deixar em paz – eu disse, e então parei. Com certeza não queria que as pessoas me vissem falar com um cachorro.

Caminhando de volta, encontrei tio Sócrates no pátio. Ele apontou para aquela coisa, agora colada em mim como uma sombra.

– Vejo que você encontrou um amigo – ele disse. – Você sabe, o bom Deus me abençoou com cinco crianças, mas todas elas são meninas que não se interessam muito por cães. Acho que Khamba está feliz de ter encontrado um companheiro.

– Não sou amigo de cachorro – eu disse.

Tio Sócrates riu.

– Claro, claro. Diga isso a *ele*.

Depois disso, desisti de me livrar de Khamba. Na verdade, comecei a gostar da sua companhia. Por mais que eu odiasse admitir, eu e ele nos tornamos amigos. Ele dormia diante da porta do meu quarto todas as noites, e, quando sentia frio, escapulia para a cozinha e se enroscava no meio das panelas. E, como disse tio Sócrates, ele se tornou um bom cão de guarda de nossas galinhas e cabras, protegendo-as das hienas e dos cães selvagens que rondavam a zona rural à noite.

Mas Khamba também gostava de brincar com os filhotes de outros animais. Caçava-os pelos terrenos, fazendo as cabras balir e as galinhas bater as asas e cacarejar. Sempre que isso acontecia, minha mãe se pendurava na janela da cozinha e atirava um dos seus sapatos na cabeça dele.

– Pare com isso, seu cão maluco! – ela gritava, e eu e minhas irmãs ríamos. *Vejam quem anda falando com animais!*

Além de incomodar nosso rebanho, a coisa que Khamba mais gostava de fazer era caçar. Nessa época, a caçada substituiu a maioria das brincadeiras infantis que eu costumava fazer em casa, e Khamba era um parceiro perfeito. Na estação seca, ele caçava os passarinhos que bebiam no *dambo* perto de casa. E, nos meses chuvosos, nós os seguíamos dentro do bosque de eucaliptos, onde montávamos nossas armadilhas e esperávamos escondidos no matagal. Esse tipo de caçada requeria paciência e silêncio. Khamba parecia entender isso naturalmente, como se tivesse caçado durante toda a sua vida.

Certa manhã, depois quer as chuvas cessaram, Khamba e eu fomos para a mata montar nossa armadilha. Como sempre, eu levava minhas ferramentas e o material para montar a armadilha dentro de um saco de tecido que amarrava na ponta da enxada. Dentro dele havia um tubo de borracha de bicicleta, um pedaço pequeno de arame que eu cortara do varal de roupas da minha mãe, um punhado de palha de milho que chamávamos de *gaga* e quatro tijolos pesados.

Eu também carregava duas facas que eu mesmo fizera. A primeira fora feita com um pedaço espesso de uma chapa de ferro. Primeiro desenhei um padrão no metal; em seguida, usei pregos e fiz furos em toda a borda e depois arranquei todos eles com uma chave inglesa. Afiei o metal em uma lâmina, esfregando-o em uma pedra lisa. Para o cabo, embrulhei a metade de baixo com sacolas de plástico *jumbos*, que derreti sobre o fogo para endurecê-las. Minha segunda faca era um instrumento perfurante fabricado a partir de uma peça de metal, também equipada com um cabo. Eu guardava as duas enfiadas no cós da calça.

Entramos no bosque assim que passamos pelo cemitério perto da casa do Geoffrey, onde os eucaliptos eram mais altos. Pude ver ao longe a pequena cadeia de montanhas chamada Dowa Highlands, que nos separava do lago Malaui, a algumas centenas de quilômetros de distância. Nuvens escuras cobriam o topo das montanhas verdes, ameaçando chuva.

– Vamos correr, Khamba. Não queremos nos molhar.

Encontrei um bom lugar onde montar nossa armadilha. O tipo de armadilha que usei chama-se *chikhwapu*. Para montá-la, primeiro removi um pedaço pequeno de grama e videiras com minha enxada até poder ver a terra vermelha. Com uma faca, cortei dois ramos fortes de um eucalipto e afiei suas pontas. Depois enfiei-os na terra macia, cuidando para que ficassem firmes. Cortei o tubo de borracha de bicicleta em dois pedaços e amarrei cada um às pontas do arame e depois atei os pedaços de borracha aos ramos. Quando terminei, parecia um estilingue gigante.

A casca de uma árvore *kachere* é durável, muito parecida com papel, e com ela se pode fazer uma boa corda. Descasquei vários pedaços compridos, amarrei-os e fiz uma corda de cerca de cinco metros. Amarrei-a ao arame de meu estilingue e então puxei a borracha o mais que pude, prendendo-a entre dois aros de bicicleta espetados na terra. Esse era o meu gatilho. Uma vez montada a armadilha, empilhei os quatro tijolos bem atrás dela e espalhei um pouco de *gaga* no terreno. Quando os passarinhos pousavam para bicar a isca, eu puxava o gatilho e soltava o estilingue, fazendo com que eles se chocassem contra os tijolos.

– Vamos caçar! – eu disse. Com essa ordem, Khamba empertigou as orelhas e me seguiu em direção à mata.

Nós nos escondemos atrás de um arbusto e esperamos. Cerca de trinta minutos depois, quatro passarinhos revoaram sobre nossas cabeças e avistaram a isca. Meu pulso se acelerou quando eles voltaram e se prepararam para pousar. Eu estava a ponto de puxar o gatilho quando um quinto passarinho pousou. Era enorme, com peito gordo cinza e asas amarelas.

"Venha", eu pensei. "Mais um pouquinho para a direita. Isso."

O passarinho gordo forçou seu caminho entre o grupo e começou a se alimentar. Com todos eles dentro da armadilha, soltei a corda.

PLAFT!

O bando todo desapareceu numa nuvem de penas e poeira.

– *Tonga*! – gritei.

Khamba e eu corremos para investigar o que tinha acontecido. Quatro passarinhos estavam mortos contra os tijolos, e um quinto ainda tentava levantar voo. Peguei-os e limpei o pó de seus corpos, ainda quentes em minhas mãos. Coloquei-os nos bolsos.

– Agora vem a parte divertida – eu disse. Khamba abanava a cauda como louco. – Vamos comer.

Em casa, limpei os passarinhos e os cobri com uma camada de sal. Depois desbastei um ramo de eucalipto e obtive um espeto, no qual enfiei os passarinhos. Na cozinha, juntei um punhado de gravetos e acendi um fogo. Quando o carvão ficou incandescente, segurei os passarinhos sobre as brasas até a carne chiar e assar. O cheiro delicioso logo atraiu minhas irmãs, que ficaram à porta, implorando por um pedacinho. Meu pai teve que intervir.

– Deixem esses dois sozinhos. Os dois caçadores deram duro hoje. Agora deixem-nos aproveitar o prêmio.

Os passarinhos silvestres eram pequenos e ossudos. Cada um só oferecia uma bocada de carne. Mas ainda assim estavam deliciosos. Khamba não se importou com os ossos. Engoliu os passarinhos de uma vez e balançou o rabo pedindo mais. Comecei a rir.

– Quando se trata de caçar, você é muito paciente – eu lhe disse. – Mas na hora de comer é outra história!

Descobrindo uma coisa chamada ciência

No ano em que fiz treze anos, comecei a ter consciência de que coisas em mim estavam mudando – não só em meu corpo, mas também em meus interesses. Eu estava crescendo.

Parei de caçar tanto e comecei a passar mais tempo no centro comercial com Geoffrey e Gilbert. Encontrávamos outros garotos para rodadas intermináveis de *bawo*, um jogo da família Mancala jogado com peças de mármore sobre um tabuleiro de madeira cheio de fileiras de furos. O objetivo é capturar a fileira da frente do adversário e impedi-lo de se mover.

O *bawo* requer estratégia e raciocínio rápido. Devo admitir que eu era muito bom nisso e frequentemente vencia os outros garotos. Isso me enchia de alegria, porque vários deles tinham me derrotado no futebol.

Se não podia ter poderes de magia, pelo menos eu tinha o *bawo*.

Nessa época, Geoffrey e eu começamos a desmontar velhos rádios para ver o que havia dentro. Depois de muitas tentativas e erros, começamos a entender como eles funcionavam.

Como não tínhamos eletricidade nem televisão, o rádio era nossa única ligação com o mundo fora da aldeia. O mesmo ocorria em muitas outras regiões da África. Na maioria dos lugares, nos campos, nas matas ou nas cidades, viam-se pessoas ouvindo pequenos rádios portáteis. Nesse tempo, o Malaui tinha duas estações, a Rádio Um e a Rádio Dois, ambas administradas pelo governo. Além de transmitir notícias e esportes, também tocavam o *reggae* malauiano e *rhythm and blues* americanos, além de coros gospel e sermões dominicais em *chewa*.

Desde o momento em que ouvi um som sair do rádio quando era pequeno, eu quis saber como ele chegara ali. Quando eu e Geoffrey começamos a desmontar os rádios para investigar, foi como espionar um mundo secreto.

– O que significam esses fios de cores diferentes? – perguntei. – E para onde vão?

– Hum – disse Geoffrey –, e como eles tornam possível ouvir Dolly Parton, que vive lá longe, na América?

– E como Dolly Parton pode estar cantando na Rádio Um, enquanto o pastor Shadreck Wame prega na Rádio Dois?

Tínhamos muitas perguntas. Mas, como não tinha resposta para nenhuma, resolvi descobrir por mim mesmo.

Depois de desmontar todos os rádios que pudemos encontrar, Geoffrey e eu percebemos algumas coisas. Por exemplo, descobrimos que aquele ruído branco – aquela estática *chhhhhhh* que se ouve entre uma estação e outra – e a maioria de outras funções originam-se na placa de circuito. É a maior peça dentro de um rádio e contém todos os fiozinhos e pecinhas de plástico. Aquelas peças que parecem feijões são transístores e controlam a potência do som que sai do rádio para os alto-falantes. Descobri isso removendo um e ouvindo que o volume diminuía muito.

Não demorou muito tempo para as pessoas trazerem seus rádios quebrados, pedindo para que nós os consertássemos. Nossa "oficina" era no quarto do Geoffrey, que vivia cheio de fios, placas de circuito, motores, caixas quebradas e incontáveis peças que vínhamos colecionando.

Como acontecia com nossos caminhões de brinquedo, contávamos principalmente com materiais reciclados e muita improvisação. O mesmo se aplicava às ferramentas de que precisávamos para consertar os rádios.

Por exemplo, não tínhamos um ferro de solda adequado para soldar as peças de metal às placas de circuito. Em lugar dele, eu usava um arame grosso, aquecia-o no fogo da cozinha até ele ficar incandescente e então o usava rapidamente para fundir as peças de metal.

Para saber que defeito tinha o rádio, porém, precisávamos de uma fonte de energia. Como não tínhamos dinheiro para comprar pilhas novas, Geoffrey e eu começamos a remexer nas latas de lixo do centro comercial em busca de algumas que tivessem sido descartadas.

Vocês provavelmente devem estar pensando como se pode usar uma pilha descarregada. Bem, o truque é encontrar o tipo certo de pilha descarregada.

As pilhas usadas em rádios portáteis costumam estar mais moribundas do que mortas, principalmente porque esses rádios não requerem muita energia e descarregam as pilhas rapidamente. O truque é encontrar um grande toca-fitas ou *cd player*. Como exigem uma alta voltagem, a bateria costuma descarregar antes de estar completamente vazia, deixando uma pequena, mas preciosa, quantidade de energia.

Para testar a pilha, ligávamos um fio em cada extremidade – o polo positivo e o polo negativo – e os conectávamos a uma pequena lâmpada. Quanto mais forte a luz, mais carregada a pilha. Em seguida, alisávamos um cartão de *shake-shake* e o enrolávamos em um tubo. Dentro dele, colocávamos as pilhas com os polos positivo e negativo voltados para o mesmo lado. Então, puxávamos os fios de cada extremidade do tubo até o rádio e os ligávamos às cabeças positiva e negativa onde as pilhas normalmente ficam. Todo esse monte de "lixo" geralmente era suficiente para ligar um rádio – pelo menos pelo tempo de consertá-lo.

Nos fins de semana, Geoffrey e eu passávamos os dias na oficina, ouvindo música enquanto fazíamos os consertos. Se tínhamos a sorte de ter um toca-fitas para consertar (e se houvesse suficiente eletricidade nas pilhas), Gilbert nos emprestava fitas dos Missionários Negros – nossa banda de *reggae* preferida.

– Ei, aumente o som!
– *Yah*. Com certeza.
Quando fregueses nos procuravam, às vezes pareciam surpresos.
– Ouvi dizer que alguém aqui conserta rádios – disse uma senhora, olhando em volta.
– Sim – respondi, baixando o volume da música. – Somos eu e meu colega, sr. Geoffrey. Qual é o problema?
– Mas vocês são tão jovens – disse ela. – Como crianças podem estar fazendo esse tipo de serviço?
– Não duvide de nós, madame. Diga: qual é o problema?
– Não consigo encontrar nenhuma estação. Só se ouve estática.
– Deixe-me ver... hum, sim... acho que podemos dar um jeito. Estará pronto antes do jantar.
– Entregue-o antes das seis horas. É sábado, e quero ouvir minhas peças de teatro.
– Claro, claro.
Frequentemente as pessoas paravam para nos cumprimentar.
– Vejam esses pequenos cientistas! – disse um homem. E então: – Sigam em frente, garotos, e um dia terão um bom emprego.
Nessa época, eu não sabia muita coisa sobre ciência nem que fazer ciência podia ser um trabalho. Mas estava cada vez mais curioso a respeito de como as coisas funcionam. Por exemplo, como a gasolina fazia o motor de um carro funcionar? Por que esse líquido fedorento era tão importante?
Fácil, pensei, *basta perguntar para alguém que tenha carro.*
No centro comercial, comecei a parar motoristas de caminhão.
– Poderia me dizer o que faz este caminhão andar? – eu lhes perguntava. – Como ele funciona?
Mas nenhum deles soube me dizer. Só sorriam e davam de ombros. Realmente, como alguém pode dirigir um caminhão e não saber como ele funciona?
Até meu pai, que eu pensava que sabia *tudo*, ficou pasmo:
– A gasolina queima e libera calor e... Bem, não tenho certeza.
Os toca-discos compactos estavam ficando populares na nossa região, e essas coisas me fascinavam. Eu via as pessoas inserir um disquinho brilhante

no aparelho, apertar um botão e, de repente, ouvia-se música. *Como é que...?*, eu me perguntava.

— Como é que se colocam músicas nesse disco? — eu perguntava.

— Quem se importa? — respondiam.

Meus vizinhos no centro comercial pareciam felizes de desfrutar seus carros e *cd players* sem explicação, mas eu, não. Eu tinha uma vontade enorme de entender, e as perguntas nunca cessavam. Se saber essas respostas era o trabalho de um cientista, então era isso que eu queria ser.

De tudo que me despertava curiosidade, o que mais me intrigava eram os dínamos.

Pareciam garrafinhas de metal que ficavam presas à roda de uma bicicleta. Sempre as tinha visto em Wimbe, mas nunca soube qual era a sua função. Quer dizer, isso até que, uma noite, um amigo do meu pai chegou dirigindo uma bicicleta com o farol aceso. Assim que ele desceu, a luz se apagou.

— Ei, o que fez a lâmpada se apagar? — perguntei. Não o tinha visto mexer em um interruptor ou algo parecido.

— O dínamo — ele disse. — É que parei de pedalar.

Esperei que ele entrasse em casa e subi na bicicleta dele para investigar. A luz se acendeu assim que comecei a pedalar. Examinei a bicicleta de cima a baixo, seguindo os fios que saíam da lanterna até o pneu traseiro, onde o dínamo estava preso. No topo, ele tinha uma rodinha de metal que fazia pressão contra a borracha. Quando o pneu girava, a rodinha também girava. E então a luz se acendia.

Não conseguia tirar isso da cabeça. Como uma rodinha de metal girando podia produzir luz? Da próxima vez que esse homem veio de visita, dei outra olhada na bicicleta. Dessa vez percebi que os fios saíam mais frouxos do farol. Enquanto o pneu estava girando, sem querer encostei a ponta solta do fio no guidão de metal e vi uma fagulha.

Ah! Minha primeira pista.

Chamei meu confiável colega, sr. Geoffrey.

– *Bambo*, traga-me um dos nossos rádios – eu disse. – Um que funcione. Estou perto de descobrir algo importante!

– Claro, claro.

Como fiz em nossos testes com pilhas, conectei os dois fios do dínamo aos polos positivo e negativo no rádio – no lugar onde normalmente ficam as pilhas.

– Tudo bem, Geoffrey. Agora comece a pedalar.

Quando Geoffrey girou a roda, nada aconteceu. Então, peguei os dois fios do rádio e conectei-os ao farol. Quando Geoffrey pedalou, a luz piscou.

– Sr. Geoffrey, meu experimento mostra que o dínamo e a lâmpada estão funcionando adequadamente. Então por que o rádio não toca?

– Hum – ele disse. – Tente enfiar os fios em outro lugar.

E apontou para uma pequena tomada onde estava escrito "AC".

– Tente aqui – ele disse. Dito e feito, quando enfiei os fios na tomada, o rádio ressuscitou.

– *Tonga!* – ele gritou.

Pedalei a bicicleta enquanto Billy Kaunda cantava sua canção alegre na Rádio Dois. Geoffrey ficou tão animado que começou a dançar.

– Continue pedalando – ele disse, sorrindo. – Essa é uma das minhas canções favoritas.

– Mas eu também quero dançar!

Sem perceber, Geoffrey e eu tínhamos descoberto duas coisas que se chamavam corrente contínua e corrente alternada. Naturalmente, só saberíamos o verdadeiro significado disso muito mais tarde. Mas, enquanto eu girava os pedais – com tanta força que minhas pernas ficaram cansadas –, continuei pensando. *O que poderia pedalar por mim para que nós dois pudéssemos dançar?*

Bem, a resposta era: energia elétrica. O dínamo havia me oferecido um gostinho dessa coisa mágica, e logo resolvi experimentar e descobrir alguma coisa por mim mesmo.

Muitos de vocês provavelmente estão dizendo: "Mas todo mundo não tem energia elétrica?". É verdade que na Europa e na América a maioria das pessoas tem a sorte de ter luz em qualquer lugar que desejem, além de coisas como aparelhos de ar condicionado e fornos de micro-ondas. Mas na África não tínhamos essa sorte. Na verdade, apenas cerca de oito por cento dos malauianos possuíam energia elétrica em casa, e a maioria deles vivia na cidade.

Não ter energia elétrica significava que eu não podia fazer nada à noite. Não podia ler ou terminar de consertar um rádio. Não podia fazer a lição de casa ou estudar para a escola. Nem ver televisão. Também significava que, quando ia ao banheiro lá fora, não podia ver as enormes aranhas ou baratas que andavam por ali à noite. Só sentia quando elas mordiam meus pés descalços.

Assim que o sol se punha, a maioria das pessoas parava o que estava fazendo, escovava os dentes e ia direto para a cama. Não às dez ou às nove, mas às sete da noite! Quem é que vai para a cama às sete da noite? Bem, a maioria da África.

A única luz que tínhamos era a das lanternas, e não as do tipo que são alimentadas por pilhas. Nossas lanternas eram feitas de latas de leite em pó vazias, que amassávamos no topo e enchíamos de querosene. Nosso pavio era um pedaço de uma camiseta velha, que rasgávamos em tiras e embebíamos no combustível.

O querosene se parecia muito com a gasolina e tinha um cheiro igualmente ruim. Pior, produzia uma espessa fumaça preta que irritava os olhos e a garganta e nos fazia tossir. E, como a maioria dos telhados era de palha, as lanternas eram um risco real de incêndio. Enquanto eu crescia, ouvi muitas histórias de pessoas que tiveram suas casas queimadas porque alguém chutara uma lanterna.

A eletricidade existia no Malaui, mas era muito cara e difícil de conseguir. Estar "na rede" significava você se apertar na carroceria de um táxi picape e rodar várias horas até Lilongwe, a capital. Lá ainda era preciso pegar um ônibus até os escritórios da Empresa de Fornecimento de Eletricidade do Malaui (EFEM) e esperar horas em um saguão lotado até que um funcionário de cara azeda o chamasse pelo nome.

– O que deseja? – ele perguntaria.

– Eletricidade – você diria.

– Hum. Vamos ver o que podemos fazer.

Depois de preencher um requerimento e pagar um monte de dinheiro, eles lhe pediam para desenhar um mapa de sua aldeia e de sua casa.

– Aqui – você diria. – Em moro aqui.

E, se seu requerimento fosse aprovado, e se os funcionários fossem capazes de encontrar sua casa, você tinha que gastar mais dinheiro para eles instalarem um poste e os fios. Conseguida a eletricidade, você ficaria muito feliz. Você ligava o rádio e dançava ao som da música – isto é, até a EFEM cortar a força, o que eles faziam todas as semanas, geralmente à noite. Depois de gastar todo esse dinheiro e enfrentar todos esses problemas, você ainda tinha que ir para a cama às sete.

Por que a EFEM desligava a força? Em parte, o motivo era o desmatamento, um grande problema no Malaui e em outras partes do mundo. Graças às fazendas de tabaco e milho, a maioria das luxuriantes florestas que cobriam o país na época de nossos avós havia desaparecido. As demais estavam sendo cortadas e usadas como lenha.

Como não tínhamos eletricidade, a maioria dos habitantes do país (inclusive minha família) dependia do fogo para tudo, de cozinhar a aquecer a água do banho. O problema é que agora a lenha estava em falta. Era tão ruim que às vezes minhas irmãs precisavam caminhar vários quilômetros para encontrar um pouco de lenha para cozinhar nosso café da manhã. E qualquer um que já fez uma fogueira sabe que um punhado de lenha não dura muito tempo.

Sem árvores e florestas cobrindo a terra, simples tempestades podiam transformar-se em inundações instantâneas. Sempre que a chuva era pesada, a água corria por nossos campos e levava embora o solo e os minerais que ajudavam as plantas a crescer. O solo e mais um monte de sacos de plástico e de lixo corriam para o rio Shire, onde a EFEM produzia toda a eletricidade para o Malaui a partir de turbinas. As turbinas ficavam entupidas de lodo e lixo e precisavam ser desligadas e limpas – o que causava cortes de energia em todo o país. E, cada vez que a EFEM fazia cortes de energia, também perdia dinheiro. Isso significava que precisava aumentar os preços para recuperar as perdas, levando o custo da eletricidade a um nível cada vez mais alto. Assim, sem plantações por causa das inundações, e sem eletricidade por causa dos rios obstruídos e dos preços altos, as pessoas continuavam cortando árvores para obter lenha.

Uma dessas linhas de eletricidade da EFEM estava conectada à casa do Gilbert, provavelmente porque seu pai era o chefe. Na primeira vez que fui lá quando era criança, não pude acreditar no que vi. Gilbert andava pela sala de estar, tocava na parede, e uma luz se acendia. Apenas tocando na parede! Naturalmente, agora eu sei que na verdade ele mexia no interruptor de luz. Mas, depois desse dia, comecei a pensar: *Por que posso tocar na parede e ter luz? Por que sempre fico no escuro procurando um fósforo?*

Eu sabia que trazer eletricidade para a minha aldeia ia exigir mais do que apenas um dínamo de bicicleta ou a melhor magia de algum feiticeiro. E, de qualquer modo, minha família não podia pagar por nenhuma dessas coisas. Mas eu tinha um pouquinho de esperança. Em breve eu faria os exames finais para sair da escola primária. Se eu passasse e avançasse para a escola secundária (que os jovens na América chamam de ensino médio), sabia que estudaria mais ciência. Várias escolas tinham programas especiais de ciências nos quais os alunos podiam trabalhar em todos os tipos de experimentos. Se conseguisse ir para alguma dessas escolas, talvez meu sonho de me tornar um cientista pudesse se realizar.

Minha escola naquela época, a Escola Primária de Wimbe, não parecia ser um lugar frequentado por cientistas. Ficava localizada na trilha arborizada que partia da casa do Gilbert, do lado oposto da mesquita. Era uma escola comunitária administrada pelo governo e estava em péssimas condições.

As placas de ferro do telhado estavam cheias de furos, e, quando chovia, a água pingava em cima de nós. As salas eram pequenas demais para o grande número de alunos, e algumas aulas eram dadas ao ar livre, sob as árvores. Com todos os caminhões que passavam, mais os pássaros, os insetos e as pessoas que caminhavam por ali, era impossível uma pessoa se concentrar. Os administradores não nos ofereciam livros didáticos. Os professores estavam sempre sem giz, e muitos alunos nunca tiveram um lápis. Peça a qualquer criança malauiana para soletrar seu nome ou dizer o resultado de dois vezes dois e ela provavelmente vai rabiscar a resposta na areia.

Outro problema em Wimbe eram os banheiros – apenas umas poucas cabanas de palha com um buraco fundo coberto de toras de madeiras. Não demorava muito, os cupins faziam seus ninhos nas toras e as devoravam até deixá-las ocas. Uma tarde, elas finalmente despencaram com minha colega Angela agachada sobre elas. Várias horas se passaram até que alguém ouvisse seus gritos no fundo daquele buraco viscoso e viesse salvá-la. Ela ficou tão traumatizada que nunca mais a vimos.

Para me formar na Escola Primária de Wimbe e avançar para a escola secundária, eu tinha que passar numa prova. E era uma prova difícil. A prova Padrão Oito cobria todos os assuntos e durava três dias inteiros.

Por vários meses fiquei acordado depois do anoitecer e estudei à luz de uma lamparina fumacenta. Passei horas revendo minhas lições de *chewa*, inglês, matemática, estudos sociais e agricultura – um assunto que todos nós precisávamos estudar porque éramos agricultores. Minhas lições de *chewa* eram na sua maioria fáceis, de modo que gastei mais tempo estudando inglês, que achei muito difícil. Quanto à agricultura, queriam que soubéssemos coisas como dizer se nossos animais estavam doentes de infeções e, caso estivessem, como curá-los. A maioria das crianças sabia essas coisas porque trabalhava com os pais. Mas, ainda assim, eu queria que minhas respostas fossem perfeitas.

Fiz a prova em meados de setembro. Por três dias torturantes, roí as unhas sobre triângulos equiláteros e circunferências e tive de responder se um coccidiostático ou uma solução de iodo era o medicamento certo para uma galinha com sangue nas fezes. Eu estava um feixe de nervos quando terminei, mas me senti confiante. A parte ruim era que as notas só seriam anunciadas dali a três meses, deixando muito tempo para eu me preocupar.

Diferentemente do que ocorre na América, a escola secundária não é gratuita. Por causa disso, muitos jovens no Malaui nem se importam em tentar. Minha irmã mais velha, Annie, já completara metade de seus estudos, e eu mal podia esperar para ter minha oportunidade. Outra coisa excitante das classes mais adiantadas era ter um novo uniforme. Logo eu poderia abandonar as calças curtas usadas pelos alunos mais novos e vestir calças compridas.

Depois que acabei minha prova, esperei que Gilbert terminasse a dele.

– Nunca mais calças curtas para nós – eu disse quando ele apareceu.

– Com certeza. E, até o início das aulas, nossas manhãs estão livres. O que vamos fazer?

– Vamos pegar Khamba e sair para caçar – eu disse. – Está cedo, ainda temos muito tempo.

– *Yah*. Com certeza.

Estávamos no meio do caminho para casa quando Khamba nos encontrou, balançando o rabo como se tivesse ouvido minhas palavras. Naquela tarde, nós três caçamos durante horas, até que o sol amarelo mergulhou atrás das colinas. Com nossas sacolas cheias, caminhamos para casa sob um crepúsculo laranja, fizemos uma grande fogueira no pátio, assamos nossos pássaros e os comemos como homens.

A vida incerta de um agricultor africano

Para mim, terminar a escola primária e ser um cientista era muito melhor do que cuidar da lavoura, que nessa época consumia muito do meu tempo. Durante a pausa nos estudos, eu passava a maior parte do tempo ajudando meu pai a preparar o milho para a colheita.

No Malaui, o milho é tão importante quanto a água que bebemos. Comemos milho em todas as refeições, principalmente na forma de *nsima*, que é uma espécie de mingau. *Nsima* é uma mistura de farinha de milho e água quente. Quando ela se torna dura demais para mexer, costumamos fazer uns bolinhos na forma de hambúrgueres.

Para comer *nsima*, você corta um pedaço, faz uma bola na palma da mão e então coloca o "tempero" – espinafre cozido, folhas de abóbora ou qualquer outra verdura da estação. Se sua família tem dinheiro, talvez você use alguns ovos, galinha ou carne de cabra. Minha refeição preferida no mundo é *nsima* com peixe frito e tomates. Hum!

Como disse, a *nsima* é tão importante na nossa dieta que sem ela nos sentimos um peixe fora d'água. Por exemplo, digamos que alguém da América convide um malauiano para jantar e sirva um bife suculento com purê de batatas, acompanhado de grandes fatias de bolo de chocolate como sobremesa. Se não houver *nsima*, o malauiano provavelmente vai voltar para casa e dizer a seus irmãos e irmãs: "Não havia comida lá. Só um bife e purê de batatas. Espero poder dormir esta noite".

Cultivar uma boa plantação de milho é difícil e leva o ano inteiro. Não se trata apenas de plantar e colher, mas de preparar o solo, adicionar fertilizantes e eliminar as ervas daninhas que crescem ao redor das plantas. Esse trabalho ocupa a família toda. Minhas irmãs colaboravam na semeadura e na colheita, mas principalmente ajudavam nossa mãe nas tarefas da casa – indo buscar água e lenha, cozinhando, limpando e ajudando a cuidar dos menores, o que significava que a maior parte do trabalho na lavoura ficava para mim.

Começávamos em julho, quando removíamos os restos da colheita da temporada anterior. Colhíamos as hastes de milho velhas e as arrumávamos em pilhas. Depois, Geoffrey e eu as queimávamos. A melhor coisa na queima do milho eram os gafanhotos, que gostavam de se entocar nas pilhas e, quando sentiam a fumaça, enxameavam às centenas. Nós os apanhávamos e os colocávamos em sacos de açúcar.

– Quantos você tem, sr. Geoffrey? – eu perguntava, bufando no campo enfumaçado.

– Muitos – ele dizia, levantando o saco de açúcar. – Talvez uns cinquenta.

– *Yah!* Aqui também. Vamos comer?

– Com certeza.

A única razão pela qual caçávamos gafanhotos era para torrá-los no fogo com sal, o que fazíamos com muita animação. Isso talvez pareça nojento para algumas pessoas. Mas, acreditem, não há nada mais delicioso que gafanhotos crocantes com *nsima*. Naturalmente, não se podia caçar e comer gafanhotos durante o trabalho, mas no Malaui há um ditado que diz: "Quando você vai ver o lago, também vê os hipopótamos".

O trabalho mais difícil na lavoura é fazer as cristas. São as longas fileiras de terra que vemos em qualquer plantação. Na minha plantação, não usávamos um arado ou trator para fazê-las, mas uma enxada. E escavá-las consumia todo o meu tempo. Eu começava de manhã, antes da escola. Acordava lá pelas quatro da manhã, quando ainda estava escuro e frio. Minha mãe já estava pronta com uma tigela fumegante de *phala*, uma espécie de farinha de milho. Depois de comer, eu cambaleava pelo caminho arrastando a enxada atrás de mim.

– Cuidado com essa enxada no escuro – gritava meu pai. – Não quero que você corte o seu pé fora.

– Pode deixar.

Uma lua enorme e brilhante lançava sombras arrepiantes na estrada. Eu andava rápido, tentando não pensar nos *gule wamkulu* me vigiando atrás das árvores ou nos aviões das bruxas que voavam baixo, procurando novos recrutas. Uma manhã, enquanto eu caminhava, uma hiena gritou dentro do mato e quase me fez morrer de medo. Nunca corri tão rápido.

Depois de escavar as cristas, esperávamos pela estação chuvosa para poder plantar. As chuvas geralmente chegavam na primeira semana de dezembro. Minhas irmãs e eu andávamos uns atrás dos outros pelas fileiras. Um de nós fazia um talho com a enxada, enquanto o outro jogava três sementes e as cobria de terra e de esperança. Algumas semanas depois, quando as sementes começavam a brotar, dávamos a cada uma delas uma colher de fertilizante para ajudá-las a crescer fortes.

Comprar sementes e fertilizante custava um bocado de dinheiro. E, como sempre era dezembro, isso significava que quase nada sobrava para o Natal. Nunca tínhamos dinheiro para comprar presentes, principalmente porque cada família tinha um monte de filhos. Por isso, para nós o dia de Natal perfeito era simplesmente desfrutar uma luxuosa mistura de arroz com galinha. Se sobrava algum dinheiro, talvez conseguíamos comprar uma garrafa de Coca-Cola e algumas balinhas.

Depois de dezembro, o dinheiro acabava. Pior, a essa altura, os estoques de milho das famílias estavam no fim. Chovia dia e noite. Era o momento de apertar os cintos e esperar a colheita, que só seria em maio, quando o milho finalmente chegava à altura do meu pai e um campo todo verde sussurrava palavras de boa sorte no vento.

A colheita era uma imensa festa. Toda a família ia para a plantação e tralhava do alvorecer ao pôr do sol, cantando, contando piadas, sonhando com as ótimas refeições que viriam.

Depois de uma semana descascando espigas, o milho era despejado em sacas enormes, que eram levadas ao galpão de armazenagem – dando-nos mais um ano de comida deliciosa. Em uma boa colheita, as sacas iam até o teto e se derramavam pelo corredor. Para famílias pobres como a nossa, era como pôr um milhão de dólares no banco.

Mas isso era em um ano normal.

Em dezembro de 2000, tudo deu terrivelmente errado. Nosso primeiro problema foi o fertilizante. Por anos e anos, o governo malauiano manteve o preço do fertilizante e das sementes suficientemente baixo para que toda família pudesse ter a sua colheita. Mas nosso novo presidente, um negociante chamado Bakili Muluzi, não achava que era dever do governo ajudar os agricultores. Por isso, naquele ano o preço do fertilizante estava tão alto que a maioria das famílias – inclusive a nossa – não pôde comprá-lo. Assim, quando as chuvas chegaram e as mudas começaram a brotar do solo, não tínhamos o que lhes dar.

– Lamento, caras – eu disse, de pé no meio do campo. – Neste ano vocês estão por sua conta e risco.

Para os agricultores que puderam pagar o fertilizante, isso praticamente não fez diferença. Porque, assim que as mudinhas deram as caras, começaram as enchentes. Chuvas fortes caíram dias e dias, arrastando casas e animais junto com o fertilizante e muitas das mudas. Nosso distrito sobreviveu sem grandes danos, exceto que, quando as chuvas finalmente cessaram, nunca mais voltaram. O Malaui enfrentou uma seca.

Sem chuva, o sol se erguia furioso no céu a cada manhã, sem misericórdia pelas mudas que tinham sobrevivido. Em fevereiro, as plantas estavam murchas e caídas no chão. Em maio, metade das plantas estava chamuscada.

As que haviam restado chegavam no máximo à altura do peito do meu pai. Se você pegasse uma folha na mão, ela se desfazia em pó. Certa tarde, eu e meu pai fomos até o campo analisar essa destruição.

– O que vai acontecer conosco neste ano, papai? – perguntei.

Ele soltou um suspiro.

– Não sei, filho. Mas pelo menos não somos os únicos. Está acontecendo com todo mundo.

Naquela colheita não houve celebração. Só conseguimos encher cinco sacas de milho, que ocuparam um canto do galpão de armazenagem. Uma noite, antes de ir para a cama, vi uma lamparina de querosene tremeluzir no corredor e encontrei meu pai de pé diante da porta aberta. Estava olhando para aquelas sacas, mas não como um homem que conta suas riquezas. Parecia estar lhes fazendo uma pergunta. O que elas lhe disseram descobriríamos em breve.

O Malaui começa a morrer de fome

Parte da resposta chegou no fim de setembro. Pouco depois dos exames finais, Gilbert e eu fomos ao centro comercial jogar umas partidas de *bawo*. Quando voltávamos para a casa dele, notamos uma cena estranha. Cerca de uma dúzia de pessoas estava reunida no pátio, falando baixo num tom preocupado. Eram na maioria mulheres, todas usando os habituais panos coloridos na cabeça, como minha mãe, e carregando uma cesta vazia.

– Quem são essas pessoas? – perguntei.

– São mulheres que ficaram sem comida nas aldeias distantes – respondeu Gilbert. – Vieram pedir a meu pai por trabalho ou *ganyu*. Algumas caminharam durante dias.

Ganyu significava trabalho diário, ou um pequeno emprego para limpar os campos em troca de algum dinheiro. É como muitos agricultores do Malaui sobrevivem em tempos difíceis. Mas nunca vi tantas dessas pessoas de uma só vez.

– O que seu pai vai fazer?

– Vai alimentá-las – respondeu Gilbert. – Ele não tem outra escolha. É o chefe delas.

O que Gilbert disse era verdade. A seca havia destruído todas as lavouras na zona rural, deixando as famílias das aldeias menores sem comida. Suas despensas estavam vazias, e elas estavam famintas.

Quando cheguei em casa, contei a meu pai o que tinha visto. Ele também tinha visto as filas de mulheres, mas não parecia muito preocupado. Explicou que o governo sempre mantinha estoques de milho para situações de emergência. Em tempos difíceis, o milho era vendido no mercado a preços reduzidos, para que todos pudessem comer.

– Não se preocupe – ele disse. – De qualquer modo, nossa família nunca vai passar fome.

Dias depois, porém, meu pai voltou do centro comercial dizendo que um grupo de agricultores tinha feito uma manifestação. Deram notícias terríveis: homens desonestos do governo haviam vendido nosso estoque emergencial de milho e ficado com o dinheiro.

– Estão dizendo que não sobrou nada – ele disse à minha mãe. – Este ano vai ser um desastre.

Pelo rosto de minha mãe, vi que ela estava arrasada.

– Só Deus pode nos ajudar – ela murmurou.

Depois disso, a fome chegou ao Malaui.

Por causa da escassez de milho, o preço dobrou. Quando isso aconteceu, as pessoas começaram a procurar comida na floresta. Uma noite, antes do jantar, como estava com muita fome, fui até o vizinho ver se podia apanhar algumas mangas das árvores do sr. Mwale. Quando cheguei, ele e a família estavam em volta da mesa diante de pratos fumegantes de comida.

– Bem a tempo – eu disse.

Mas, quando cheguei mais perto, percebi que a família estava comendo folhas de abóbora e mangas ensopadas. Ainda não estavam maduras e com certeza deviam ter um gosto horrível.

– Você não vai encontrar comida aqui – disse o sr. Mwale, torcendo o nariz enquanto mastigava.

Mais tarde, vi vários homens cavar o campo dos Mwale em troca de *ganyu*. Eram de aldeias distantes e foram embora levando um punhado das mesmas mangas verdes.

Dias depois, quando caminhava pelo centro comercial, vi algo que nunca tinha visto. Mulheres tinham estendido lonas plásticas no chão e estavam vendendo *gaga*. *Gaga* era o resto das camadas externas de palha removidas das espigas de milho no moinho. É como lixo, largado no chão para ser jogado fora. Os agricultores costumam usá-la para alimentar galinhas e porcos. Eu gostava de usar *gaga* em minhas armadilhas para passarinhos. Mas nunca vira alguém a comer. No entanto, estava sendo vendida no mercado por trezentos kwachas o balde – três vezes o custo normal. Um grupo de mulheres carregava baldes de metal e se aglomerava em volta dos vendedores, empurrando-se para conseguir um pouco de *gaga*.

– Caia fora, eu sou a primeira!
– Estamos todas com fome, irmã. Não existe essa história de primeira.

Quando voltei lá, uma hora mais tarde, toda a *gaga* tinha acabado. Nesse mesmo instante, tive a sensação de ser sacudido – como se alguém tivesse me acordado de repente à noite. Voltei para casa correndo.

Até então, eu não me preocupara muito com nossa situação. O fato de ter treze anos e estar sempre com fome explicava um pouco isso. Em cada refeição, eu esticava o prato e pedia: "Tudo bem. Continue servindo!". Claro que eu sabia dos problemas que o país todo enfrentava, mas, por alguma razão, sempre presumia que aquilo estava acontecendo com outras pessoas.

Agora, a caminho de casa, fui ficando cada vez com mais medo.

Quando cheguei e abri a porta da despensa, quase desmaiei: só tinham sobrado duas sacas de grãos. Comecei a fazer as contas do faminto. Duas sacas de milho dariam para dois meses. Em três meses, estaríamos morrendo de fome. O pior é que ainda faltavam duzentos e dez dias – cerca de sete meses! – para a próxima colheita. Não havíamos plantado uma única semente, e, se tivéssemos plantado, não havia garantia de que haveria chuva ou fertilizante.

Dias depois, meu pai começou a levar nossas cabras para vender no mercado. No Malaui, os animais são nossos bens mais estimados, o único sinal da riqueza e da classe do agricultor. E agora nós os estávamos vendendo em troca de uns poucos baldes de milho.

Os donos das bancas *kanyenya* que vendiam carne frita estavam ganhando muito dinheiro. Os preços que ofereciam por bodes, cabras, porcos e vacas estavam cada dia mais baixos, mas as pessoas faziam fila para vender.

Notei que um dos bodes era o Mankhalala, um dos meus preferidos. Diferentemente dos demais, ele gostava de brincar. Lutávamos no pátio, e ele deixava que eu agarrasse seus chifres. Ele e Khamba tinham ficado amigos e brincavam de perseguir um ao outro no meio da cozinha, irritando minha mãe.

– Papai, por que você está vendendo nossos bodes? – perguntei.

Ele se voltou para mim.

– Uma semana atrás, o preço estava em quinhentos. Agora está em quatrocentos. Sinto muito, William, mas, se esperarmos mais, não vamos apurar nada.

Os bodes gritavam quando eram amarrados pelas pernas com uma corda. Khamba ouviu o tumulto e veio investigar. Quando viu Mankhalala ser levado pela trilha com os outros, começou a latir e pular. Mankhalala então se virou, como se implorasse ajuda. Sabia qual seria seu destino. Mas, por mais que me doesse por dentro, tive de deixá-lo ir. O que podia fazer? Minha família precisava comer.

No início de novembro, eu acordava como sempre às quatro da madrugada para trabalhar na lavoura. No primeiro dia, quando fui tomar meu café da manhã, meu pai veio ao meu encontro. Ainda estava escuro.

– Nada de *phala* hoje – ele disse.

– O quê?

– Está na hora de cortar. Precisamos economizar comida.

A essa altura, nosso suprimento de milho era de apenas uma saca e meia. O café da manhã foi o primeiro a sofrer o corte, e eu me perguntava qual seria o próximo. Mas, em vez de me queixar, bebi um grande copo de água, peguei minha enxada e fui encontrar Geoffrey no campo.

Contei-lhe que estava sem o café da manhã.

– Pode acreditar nisso? – perguntei.

Meu primo simplesmente deu de ombros.

– Você está começando hoje? – ele disse. – Não tomo café da manhã há duas semanas. Estou ficando acostumado.

No início da manhã, ainda estava frio, o que me permitia escavar com grande energia. Mas às sete horas meu estômago já tinha despertado e percebido que estava vazio. Roncava e exigia ser alimentado. Logo o sol estava alto no céu e sugava todas as minhas forças. A única coisa que me mantinha acordado era meu pai andando por perto.

– Escave melhor essas cristas! – ele gritou.

– Mas estou com muita fome, papai.

– Pense na colheita do próximo ano, filho. Faça o melhor que puder.

Era verdade: minhas cristas estavam tortas, como se uma cobra as tivesse cavado. Do outro lado do campo, Geoffrey trabalhava duro.

– Sr. Geoffrey – chamei. – Podemos fazer um acordo? Você cava a minha parte hoje e eu cavo a sua amanhã.

– Vou pensar no assunto – ele respondeu, esforçando-se para respirar –, mas parece o mesmo acordo de ontem.

Eu estava tentando levantar a moral do meu primo. Desde a morte do pai, nunca mais fora o mesmo. Parecia triste e às vezes passava o dia todo no quarto sem falar com ninguém. Também parecia doente. Em uma recente visita ao médico, o doutor dissera que ele tinha anemia, consequência de não ter uma alimentação saudável. Mais tarde descobri que o café da manhã não faltava só a Geoffrey – faltava comida em toda parte.

– É brincadeira – gritei. – Mas, falando sério, você não está bem. Faça uma pausa e descanse um pouco

Eu também sabia que Geoffrey não voltaria para a escola no próximo período. Por causa da seca e por ter perdido o marido, a mãe dele não tinha dinheiro para pagar a escola. Além do mais, precisava que Geoffrey e o irmão dele, Jeremiah, trabalhassem para comprar comida. Naquele dia, fingi não saber disso.

– Logo seu primo Kamkwamba estará na escola secundária – eu disse –, usando calças compridas e andando de cabeça erguida.

– Ele vai nos encontrar lá – disse Geoffrey. – Os garotos mais velhos têm planos para Kamkwamba.

– Vocês não podem pôr a mão nele!

– Ah, espere e verá.

Geoffrey não era o único que estava mudando. Khamba também andava mal. Eu sempre soube que seus melhores anos tinham ficado para trás, quando ele ainda vivia na fazenda, mas agora o peso da idade era evidente. E, desde a seca, ele estava mais magro. Imagino que a comida que eu lhe dava à noite não era suficiente. À medida que ele ficava mais lento, os ratos lhe escapavam, e outros cães o venciam na luta pelo lixo. Khamba não caçava mais galinhas no pátio. Ao contrário, ficava na sombra e dormia. Eu já via suas costelas.

Uma noite, quando lhe joguei uma bola de *nsima*, ele não conseguiu pegá-la, e ela bateu direto na sua cabeça.

– Qual é o problema, meu velho? – provoquei.

Ele se inclinou e engoliu a comida de uma vez só. Algumas coisas não mudavam nunca.

Dezembro chegou com o céu nublado e chuvas fortes. Em toda a região, os agricultores faziam o possível para plantar sementes para a próxima colheita, embora muitos tivessem abandonado os campos para procurar comida. Não demorou muito para suas terras serem sufocadas por ervas daninhas.

Meu pai conseguiu plantar uma pequena quantidade de sementes, mas sem fertilizante. Também encontrou sementes para meio acre de tabaco – o que se revelaria uma salvação nos meses seguintes.

O que começara com a seca e a falta de alimento no Malaui logo se transformou em uma explosão da fome. Naquele inverno, ela iria apertar a ponto de deixar poucas pessoas de pé.

Os que procuravam comida começaram a se juntar no centro comercial e ao longo das estradas. Grupos de homens carregando suas enxadas iam de casa em casa pedindo trabalho, com as roupas ensopadas da chuva e cobertas de lama. Em toda parte ouviam a mesma resposta: *Não temos nada para dar.*

Enquanto os homens procuravam *ganyu*, suas mulheres se juntavam na casa do chefe, onde Gilbert entregava sacos de farinha na porta. Centenas de pessoas já haviam recebido algum alimento, e mais pessoas continuavam chegando. Levavam os filhos, que choravam de barriga vazia, e algumas mulheres estavam tão fracas que desmaiavam assim que chegavam. Depois de a mãe de Gilbert reanimá-las, elas continuavam andando pela estrada em busca da próxima porção.

A fome chegou à nossa porta mais cedo do que eu imaginava. Na segunda semana de dezembro, minha mãe moeu nosso último balde de milho, o que nos daria apenas mais doze refeições. Assim que ela saiu, dei uma olhada no galpão. Tudo o que restara eram sacas vazias empilhadas num canto como roupa suja. Tentei lembrar-me do que vira ali quando ela estava cheia, mas não tive energia nem para pensar.

Naquela noite, meu pai reuniu a família na sala.

– Diante da nossa situação – ele disse –, decidi que é melhor fazermos uma refeição por dia. É a única maneira de aguentar.

Minhas irmãs e eu discutimos sobre qual refeição seria.

– Devemos tomar o café da manhã – disse Aisha, que estava com doze anos.

– Prefiro o almoço – gritou Doris.

– Não – disse meu pai. – Será o jantar. É mais fácil não pensar na fome durante o dia. Mas ninguém deve dormir de barriga vazia. Vamos comer à noite.

Meu estômago estava acostumado a se alimentar sempre que roncava. Não ter o café da manhã era uma coisa, mas não ter café da manhã nem almoço era uma lição de paciência e sofrimento. Isso era ainda mais difícil para minhas irmãs menores, que não entendiam por que ninguém lhes dava comida.

– Você me ouviu, mamãe? – elas choravam. – Estou com fome!

– Sim, querida – dizia minha mãe. – Ouvi, mas tente aguentar.

O jantar demorou a chegar nessa primeira noite. Meu pai acendeu uma lamparina na sala, e nos reunimos em volta dela, olhando a espiral preta de fuligem subir para o teto. Como sempre, começamos por lavar as mãos. Minha irmã Doris foi de pessoa em pessoa derramando água quente nas nossas mãos, que ensaboamos e enxaguamos na bacia. Quando a lavagem terminou, finalmente minha mãe foi buscar duas tigelas.

– Tentem fazer durar – ela disse e se juntou a nós no chão.

A primeira tigela era de *nsima*, mas, em vez de um monte de bolinhos cozidos, era uma única bolinha cinza. Nem parecia comestível. Na segunda tigela, minha mãe tinha preparado uma pequena porção de folhas de mostarda. Passamos as tigelas de mão em mão e nem nos preocupamos de usar pratos. A comida acabou em minutos.

Com menos de um balde restante, eu sabia que só um milagre podia nos salvar, ou pelo menos tinha uma boa ideia. Na manhã seguinte, meu pai anunciou seu plano brilhante.

– Estamos vendendo toda a nossa comida – ele disse.

Aquilo não fazia sentido. Na verdade, parecia a pior ideia que eu já ouvira. Mas então ele explicou como usaríamos a farinha para fazer bolinhos para vender no mercado. O dinheiro extra que ganhássemos serviria para comprar mais comida. Era uma jogada imensa.

Naquela manhã, minha mãe misturou nossa farinha restante com pó de soja e açúcar e fez alguns bolinhos *zigumu*, que lembravam pequenos biscoitos. Seu cheiro delicioso assando no fogo atravessou as camadas de chuva e escapou para a estrada, fazendo os trabalhadores *ganyu* parar seus caminhões. Até os pássaros ficaram agitados e se reuniram perto da cozinha, emitindo um canto de lamento. O aroma parecia entrar no meu corpo como um espírito, escorregando para dentro de meu estômago vazio e abrindo seus braços e pernas.

Normalmente, quando minha mãe fazia bolinhos *zigumu*, ela me deixava raspar a tigela com os dedos. No Malaui, isso era um privilégio ao qual as crianças tinham dado um nome: VP, abreviação de panela *vapasi*, que significava o fundo da panela.

– Mamãe, VP? – pedíamos, os olhos arregalados de expectativa.

Mas dessa vez foi diferente. Minha mãe usou a última gota da massa, como se a tivesse secado com uma esponja. Nada de VP – só a panela vazia.

Naquela noite, meu pai fez uma bancada com uma mesa quebrada e uma chapa de ferro. Minha mãe inaugurou a venda na manhã seguinte, oferecendo seus bolinhos por três kwachas cada. Os bolinhos eram maciços e duravam mais no estômago que os outros pães baratos à venda no mercado. Se uma pessoa não tinha dinheiro suficiente para comprar farinha, os bolinhos eram sua única opção. Naquele primeiro dia, vendemos todos em menos de vinte minutos.

Durante esses tempos difíceis, todo mundo aprendeu a lei da oferta e da procura. Essa regra de economia diz que, sempre que a oferta de alguma coisa é grande (digamos que os agricultores tivessem uma boa colheita, como num ano normal), a procura será baixa, e o preço cairá. Mas, quando acontece o contrário – quando a oferta é baixa como durante a fome –, a procura é enorme, e os preços disparam.

Desde que o milho acabou no Malaui, negociantes viajavam pelos países vizinhos, como a Tanzânia, comprando caminhões cheios. De volta ao mercado em Wimbe, subiam o preço – em parte porque a gasolina estava cara e às vezes os caminhões quebravam, em parte porque sabiam que as pessoas estavam famintas e pagariam qualquer preço para se manterem vivas.

Felizmente, um desses comerciantes, o sr. Mangochi, era amigo de meu pai e fez um acordo conosco. Pelo dinheiro que minha mãe ganhava vendendo os bolinhos, Mangochi lhe vendeu outro balde de milho. Minha mãe levou-o ao moinho, guardando metade da farinha para mais bolinhos, enquanto a outra metade ficou para nós. Foi justo o suficiente para nos proporcionar nossa bolota de *nsima* de cada noite, mais um pouco de folhas de abóbora ou de mostarda como tempero. Isso não matava a nossa fome, mas saber que nossa única refeição estava garantida tornava a situação menos dolorosa.

– Enquanto pudermos fazer negócio, poderemos aguentar – disse meu pai. – Nosso lucro é sobreviver.

Algumas semanas mais tarde, minha mãe voltava para casa do mercado quando um caminhão enorme passou por ela na estrada. A carga estava coberta por uma lona, mas outros comerciantes disseram que era milho.

– Eles estavam indo para o depósito do governo em Chamama – disseram alguns comerciantes.

Quando minha mãe chegou em casa, ela me chamou e explicou a novidade.

– Você vai a Chamama amanhã. Parta o mais cedo possível.

Chamama ficava a mais de vinte quilômetros de distância, e eu resmunguei:
— Você tem certeza de que era milho, e não fertilizante? Porque ouvi dizer que...
— Você me ouviu, garoto? — retrucou minha mãe. Ela não gostava que os filhos lhe replicassem, principalmente nesses momentos. — Você vai amanhã.

Se minha mãe estivesse certa, era uma ótima notícia. Significava que o governo tinha encontrado um excedente de milho, talvez da Tanzânia, e o venderia com desconto. Com os preços subindo cada vez mais no mercado, era a única maneira de seguir em frente.

Na manhã seguinte, acordei às cinco da manhã e parti de bicicleta para Chamama. Uma saca vazia de farinha flutuava no meu guidão e, enquanto sacudia nas estradas poeirentas e estreitas, notei que muitos outros faziam o mesmo.
— Chamama? — eu perguntava.
— *Ehhhh* — eles respondiam, acenando com a cabeça.

O armazém do governo se localizava no mercado central. Quando finalmente cheguei, as filas iam da porta até a estrada, mais compridas do que dois campos de futebol. Uma fila era de homens, e a outra, de mulheres e crianças. Cada uma ficava maior de minuto a minuto. Estacionei minha bicicleta contra uma cerca e tomei meu lugar entre os homens.

Uma brisa fresca soprava do lago e mantinha as pessoas de bom humor. Mas, quando o sol escaldante se elevou no céu, a fome se revelou em todo mundo. As pessoas de repente pareceram exaustas, como se não dormissem havia dias. A pele do rosto delas estava enrugada, e seus olhos, apertados por causa da forte luminosidade. Provavelmente fazia semanas que muitos deles tinham feito uma refeição adequada, e o depósito do governo era sua última e única esperança de sobrevivência. Quando o sol esquentou mais, elas foram ficando cada vez mais fracas.

O homem à minha frente quase não conseguia manter-se acordado. Suas mãos tremiam como se ele estivesse com frio, e sua respiração era alta e lenta. Quando a fila começou a andar, ele não conseguiu se equilibrar e caiu. Para meu horror, ninguém o ajudou — simplesmente passaram por cima dele. Na outra fila, bebês choravam de fome, e crianças puxavam o vestido das mães. A coisa de que mais me lembro desse dia em Chamama foi o choro dos bebês.

Depois de várias horas na fila, as pessoas estavam inquietas e furiosas – com raiva do sol e das pessoas que se empurravam por todo o lado e cuja inanição cheirava a trapos azedos. Furiosas com o governo, com a poeira e com o próprio ar que ocupava seu estômago. À medida que nos aproximamos da porta, a impaciência foi tomando conta. As pessoas começaram a empurrar. Alguém me empurrou com tal força que me agarrei no homem da frente para não cair. Alguns meninos do fim da fila então correram para a frente, espremendo-se na multidão como ratos sob uma porta.

– Ei, parem de furar fila! – muitas pessoas gritaram. – Estamos aqui desde o amanhecer.

Mas os outros continuaram chegando. Todos sabiam que a qualquer hora o milho ia acabar, e ninguém queria ficar para trás, com uma saca vazia nas mãos. Quanto mais pessoas furavam a filas, mais os demais entravam em pânico.

De repente, as duas filas chegaram à porta ao mesmo tempo. A onda de corpos me levantou do chão e me carregou para a frente. Senti o ar ser espremido para fora dos pulmões e vi o céu desaparecer. Eu estava sendo engolido por aquela enorme e aterrorizante multidão e impotente contra ela.

– Ei, parem! – gritei. – Não consigo... respirar! – Mas foi inútil.

Quando a multidão me encurralou, uma coisa estranha aconteceu. Tudo ficou preto. Os gemidos das crianças sumiram, os gritos silenciaram. Flutuei em câmara lenta como se estivesse debaixo d'água. Por um segundo, pensei que já estava morto, e uma parte de mim até se sentiu aliviada. Mas não: pelas fendas na multidão, vi o prédio do governo – agora mais perto do que nunca. A multidão tinha me carregado para a frente como um ciclone. Consegui pôr os pés no chão e escorreguei entre os corpos. Ainda bem que eu era magro. Um minuto depois, estava de pé diante da varanda do edifício. Então me enfiei pelas portas.

Lá dentro, o escritório estava fresco e calmo, e à minha frente havia um monte de milho da altura da minha cintura. Era mais comida do que eu vira em meses.

Consegui entrar bem a tempo. Lá fora, a multidão explodira em uma luta de socos. Pela porta, viu uma mulher cair no chão e desaparecer numa nuvem de poeira. Duas outras mulheres que carregavam seu bebê às costas pularam fora do tumulto para não serem esmagadas, perdendo seu lugar na fila. Limparam suas roupas e foram embora sem nada. Fiquei pensando se aguentariam mais um mês.

– *Próximo!* – gritou um homem.

Ele estava gritando para mim.

– Eu disse *próximo!*

Corri e fiz meu pedido. Tinha encontrado quatrocentos kwachas no bolso, o suficiente para comprar vinte e cinco quilos, como dizia um cartaz lá fora. Mas, quando disse o que queria, ele me informou que houvera uma mudança.

Eu só podia comprar vinte quilos, mas o preço era o mesmo.

– Quanto você quer? – ele perguntou, sem levantar os olhos do seu livro de registros.

– Vinte.

Ele me deu um tíquete e apontou para o fim de outra fila, onde vários funcionários pesavam o milho em baldes de metal. Eram musculosos e pareciam saudáveis, muito diferentes do povo lá fora. O homem que pesou o meu milho quis me enganar. Colocou o balde na balança tão depressa que não pude ver o peso e logo encheu minha saca.

– *Próximo!* – ele berrou.

– Espere – eu disse. – Você nem...

Ele se voltou.

– Se não gostou, pode deixar aqui. Há um monte de gente esperando atrás de você. *Próximo!*

Sem escolha, entreguei-lhe o dinheiro, agarrei minha saca e corri para a porta. Apesar de ter sido roubado, senti uma onda de excitação de estar carregando tanta comida, embora essa excitação logo tivesse se transformado em medo quando tive de enfrentar de novo a multidão.

Um homem correu para mim, gritando:

– Dou-lhe quinhentos por isso!

Outro o afastou.

– Não, garoto, dou-lhe seiscentos!

Fingi não ter ouvido. Amarrei a saca de milho na bicicleta o mais depressa que pude e saí correndo. Quando entrei na estrada, não parei de pedalar até ver nossa casa.

Quando entrei no pátio, minha mãe e minhas irmãs me saudaram como um herói. Eu estava exausto, e minhas roupas estavam rasgadas e sujas. Quando joguei o milho na balança do meu pai, confirmei que tinha sido roubado.

– São quinze quilos – eu disse. – Só meia saca.

Minha mãe disse para eu não me preocupar.

– Você foi muito bem. E, graças a você, vamos comer mais uma semana.

Depois dessa viagem a Chamama, as pessoas começaram a vender seus bens para sobreviver. Uma manhã, chovia muito e me sentei na varanda, vendo uma fila passar como formigas em câmera lenta. As mulheres carregavam na cabeça panelas enormes cheias de xícaras, colheres, facas – utensílios de cozinha de uma vida normal que não existia mais. Homens levavam cadeiras e sofás nas costas. Um homem arrastava uma pesada mesa de jantar pela lama. Dirigiam-se todos para o centro comercial para ver quanto dinheiro ou milho conseguiriam. Para que servia uma mesa de cozinha quando não se tinha o que comer nela?

Khamba estava deitado no chão aos meus pés. A cada poucos segundos, seu rabo balançava lentamente e afastava as moscas que se juntavam em suas costas. Estava cada vez mais magro e mais fraco, e eu sabia que era culpa minha.

A única refeição diária de minha mãe não incluía nosso cão. A única maneira de Khamba comer era eu dividir com ele a minha parte, mas, na maioria dos dias, eu estava tão faminto que comia tudo sem pensar. Ultimamente, no meio da noite, seus gemidos de fome me tiravam o sono, e eu ficava acordado, ardendo de culpa. Era difícil encará-lo. Então, assim que a chuva passou, deixei-o na varanda e caminhei para o centro comercial. Ele não tentou me seguir.

A fome tinha transformado a cidade. A maioria das lojas, como a do sr. Banda, estava fechada, e a mulheres haviam abandonado suas bancas no mercado. Os comerciantes agora se juntavam ao povo de famintos em busca de comida e vendendo tudo o que tinham na vida.

– *Ndiri ndi maonda* – gritou um homem. – Tenho uma coisa para vender. Que tal este rádio? É seu por um preço que mais parece doação.

Um homem vendeu as chapas de ferro de seu telhado em troca de uma xícara de farinha. Um belo telhado de palha podia valer meia xícara.

– De que serve um telhado quando você está morto? – ele perguntava.

Uns poucos comerciantes, como o sr. Mangochi, compraram os móveis dos vizinhos e mais tarde os deram de volta. Mas a verdade era que a maioria do povo não tinha dinheiro para comprar coisa alguma. Eles simplesmente balançavam a cabeça e se afastavam.

Dentro do moinho de milho, um bando de crianças desesperadas estava reunido ao redor da máquina. Quando uma rara mulher vinha moer um balde de milho, elas olhavam a nuvem de farinha se erguer do balde com olhos dançantes. Assim que a cliente tirava o balde do cano, as crianças se atiravam no chão e o lambiam.

Por volta de meados de dezembro, não havia mais o que moer, e o prédio caiu no silêncio.

Então chegou o Natal. Normalmente, era meu feriado preferido.

Em dias melhores, usávamos nossas roupas mais bonitas na noite da véspera de Natal e assistíamos à peça da Natividade na igreja. Mais tarde, na mesma noite, minhas irmãs e eu caçávamos os enxames de formigas voadoras que chegavam a cada temporada de chuvas, depois as torrávamos numa chapa e as comíamos com *nsima*. Enquanto os gafanhotos tinham um sabor estranho e crocante, as formigas voadoras pareciam cebolas secas, só que mais deliciosas. Quando comidas com feijões e folhas de abóbora, eram verdadeiramente divinas.

O café da manhã do dia de Natal era tipicamente composto de fatias de pão fresco com margarina Blue Band e uma caneca de chá Chombe. Um sanduíche Blue Band, acompanhado de um chá com leite açucarado, é a melhor combinação que se pode colocar na boca!

Como todo mundo, os malauianos adoravam comer carne no Natal. No começo da tarde, meu pai geralmente matava uma de nossas maiores galinhas, que minha mãe cozinhava. Mas no Natal a galinha não é servida com *nsima*. Como disse antes, era servida com arroz. Pergunte a qualquer malauiano sobre o Natal, e ele sempre vai mencionar o arroz.

Mas no Natal de 2002 não tivemos nada disso. Nossas galinhas haviam morrido doentes semanas antes, porque não podíamos comprar os remédios.

Só restara uma, que se tornara um símbolo melancólico de tudo o que havíamos perdido. Ninguém ousou tocar nela.

Todas as igrejas cancelaram a apresentação da Natividade da véspera de Natal por causa da fome, e, naquela noite, minhas irmãs e eu estávamos tão cansados que nem nos preocupamos em caçar formigas.

Quando amanheceu, não houve pão fresco nem sanduíche Blue Band. Nada de chá. E eu sabia que também não haveria nenhuma galinha com arroz. Estava tão triste que me sentei na borda da cama e não me mexi. Ouvi os sons do rádio atravessar a minha porta. O DJ estava tocando "Noite feliz", o que me deixou extremamente furioso. *Como eles ousavam tocar essa música?*, pensei. Agarrei a enxada e fui direto para o campo. Queria qualquer coisa que mantivesse minha cabeça longe do Natal.

Por volta do meio-dia, minha mãe deu um jeito de nos servir um almoço de Natal, que foi apenas a habitual bola de *nsima*. Provavelmente, ela tinha se esforçado para economizar farinha suficiente para uma refeição extra, mas era impossível comê-la com o coração alegre.

Depois fui visitar Geoffrey, o que me deixou ainda pior. Encontrei-o sentado na cama, parecendo magro e cansado. Desde que a mãe ficara sem comida no mês anterior, Geoffrey se tornara um dos que percorriam as estradas em busca de *ganyu*. Encontrou trabalho para escavar cristas e arrancar ervas daninhas, o que não provia comida suficiente para toda a família e os obrigava a passar dias inteiros sem comer. O pior é que eles estavam negligenciando sua lavoura de milho.

– Ei, cara – eu disse. – Não vejo você há dias. Sua lavoura está cheia de ervas daninhas. Estão tomando conta de tudo.

– Estou ocupado demais com o *ganyu* – ele disse. – No começo eu saía procurando comida suficiente para um mês, depois para uma semana. Agora é por dia.

Eu também não via Gilbert havia algum tempo, e então fui até a casa dele. Cerca de cinquenta pessoas estavam acampadas no seu pátio quando cheguei, e a fumaça de suas fogueiras tinha transformado o lugar numa confusão funesta. Gilbert estava parado na porta.

– Feliz Natal, hein? – eu disse, sendo sarcástico.

– Não aqui – ele respondeu.

– Bem, com certeza o Chefe Wimbe preparou uma deliciosa galinha com arroz, não?

Gilbert balançou a cabeça em sinal de decepção.

– Essa gente levou quase tudo de nós. Hoje só temos feijões e *nsima*.

Meu nariz captou na brisa alguma coisa horrível.

– O que é isso? – perguntei.

– Ah – ele disse, apontando os acampados. – Eles não se importam mais em usar a latrina. Agora estão defecando em nossa relva. Veja bem por onde anda.

– *Yah*, com certeza.

Com Geoffrey ocupado com o *ganyu* e Gilbert com os famintos, decidi ver se encontrava meu primo Charity por ali. Charity era alguns anos mais velho. Seus pais viviam em outra aldeia, ao passo que ele trabalhava nos campos de Wimbe. Vivia em uma espécie de clube onde garotos adolescentes se reuniam para discutir futebol, meninas e tudo o mais. Eu nunca tinha entrado nesse clube, porque na maioria do tempo os garotos me expulsavam de lá. Sempre que um deles dizia "William, acho que ouvi sua mãe chamar", eu sabia que era meu sinal para ir embora.

Dessa vez, porém, Charity pareceu feliz em me ver. Ninguém gostava de ficar sozinho num feriado. Ele me convidou para entrar, e vi uma panela vazia queimar no fogo.

– É Natal, e estou morrendo de fome – ele disse. – Não comi nada hoje.

– *Yah* – eu disse. – Também estou com fome.

Nós dois começamos a pensar numa maneira de conseguir comida. As mangas tinham acabado, e os comerciantes do centro comercial não se arriscariam a nos dar farinha.

– Que tal James? – perguntei.

Nosso amigo James era dono de uma banca *kanyenya*, mas, em vez de vender carne de bode frita, cozinhava miolos e patas – algo que chamávamos de mocotó. Acreditem-me, é mais delicioso do que parece. Na verdade, minha boca se encheu de água ao pensar nisso.

– Talvez James seja generoso no Natal e nos deixe comer um pouco – eu disse, sentindo-me confiante.

— Não seja idiota. – ele disse. Mas então seus olhos brilharam, e ele disse:
— Mas ele não joga fora as peles.
— Podemos comê-las? – perguntei, torcendo a cara.
— Estou pensando: por que não? Qual a diferença? É tudo carne, certo?
— *Yah*, acho que você está certo.

A caminho de encontrar James, passamos por outras bancas *kanyenya*. Um grupo de comerciantes ricos estava parado por ali, comendo carne e batatas fritas. Eles riam e faziam piadas enquanto devoravam pedaços de carne gordurosos sem parar de engolir antes de abrir a boca de novo. Também não pareciam perceber a multidão de aldeões que se juntavam em volta só para observá-los. Para eles, os famintos eram invisíveis.

A banca do James ficava um pouco mais adiante na estrada. Ele estava lá, como sempre, curvado sobre sua panela fervente. Quando nos aproximamos, pude ver uma cabeça de cabra borbulhar dentro da água, com alguns pedaços de perna. Meu estômago uivou, e tive que me virar.

— Ei, James – disse Charity. – William e eu estamos fazendo um tambor para as crianças da aldeia como presente de Natal. Será que você poderia nos dar uma de suas peles?

— Boa ideia – disse James. Ele se virou e mostrou um monte no lixo, enxameado de moscas. – Pegue uma ali. Vou mesmo jogá-las fora.

Charity agarrou uma pele, enfiou-a num saco *jumbo* e o entregou a mim. A pele ainda estava morna.

— *Zikomo kwa mbiri* – disse Charity. – Muito obrigado. As crianças vão lhe agradecer.

— Claro, claro.

Sem perder tempo, corremos para a casa de Charity.

— Como vamos preparar isso? – perguntei, olhando dentro do saco.

— Fácil – disse Charity. – Vamos assá-la como se fosse um porco.

Lá dentro, coloquei mais alguma lenha no fogo e esperei que ela ardesse. Quando o fogo estava alto, Charity e eu estendemos a pele sobre a chama. Os pelos chiaram, queimaram e soltaram um cheiro horrível. Quando ela pareceu bem chamuscada, pegamos nossas facas e a raspamos várias vezes, até que estivesse bem limpa.

Cortamos a pele em tiras e as jogamos dentro de uma panela com água fervente, adicionando um pouco de sal e bicarbonato de sódio.

– Para que o bicarbonato? – perguntei.

– É o que as mulheres fazem para cozinhar o feijão mais depressa – ele respondeu. – Estou pensando que também funciona com a pele.

Depois de três horas, uma espessa espuma branca se formou acima da água. Charity pegou sua faca e pescou uma peça fumegante. Estava cinzenta e viscosa. Soprou nela para esfriá-la, e então a enfiou na boca. Suas mandíbulas trabalharam sem parar, tentando mastigá-la. Finalmente, ele a engoliu.

– Que tal? – perguntei.

– Um pouco dura. Mas não temos mais lenha. Portanto, vamos comê-la.

Puxei um pedaço comprido de pele com a faca e a peguei com a mão. Estava pegajosa, como se coberta de cola quente. Enfiei-a na boca e inspirei fundo, sentindo a onda de calor se acalmar imediatamente em meu estômago irritado. Quando mastiguei, a gosma colou meus lábios.

– Feliz Natal – consegui dizer.

– *Yah*, Feliz Natal.

Nesse momento, ouvi um arranhão na porta e percebi que era Khamba. Devia ter sentido o cheiro de carne em casa e vindo correndo desde lá. Seu corpo ossudo estava curvo e cansado, mas o rabo ainda abanava. Fiquei feliz de vê-lo.

– Dê um pouco para esse cão – gritou Charity. – Estamos mesmo comendo comida de cachorro.

Eu me curvei e cocei a cabeça de Khamba.

– Vamos deixar um pouco para você, camarada. Sei que está faminto.

Atirei a Khamba uma tira longa de pele e, para minha surpresa, ele saltou e a agarrou no ar. Como nos velhos tempos. Fui até a panela e puxei mais dois punhados bem grandes. Quando ele acabou de comer, a vida pareceu voltar a seu corpo.

Perdi a conta de quantos pedaços eu comi. Mas, depois de cerca de meia hora mastigando, Charity e eu desistimos, porque nossas mandíbulas estavam cansadas demais. Quando o sol caiu naquela tarde, nós três nos sentamos em volta do fogo apagado, contentes com a sensação de calor em nosso estômago. Porque, afinal, era Natal.

Minha escola

Na semana seguinte, estava em casa ouvindo rádio quando escutei uma coisa melhor do que qualquer presente de Natal.

"O Conselho Nacional de Educação liberou os resultados das provas Padrão Oito deste ano", dizia o locutor.

Corri para a cozinha ao encontro de minha mãe.

– Minhas notas! – gritei. – Saíram minhas notas.

Saí correndo para a Escola Primária de Wimbe, pulando as pedras e as poças d'água pelo caminho, esquecendo minha fome. Tinha curiosidade de saber qual escola secundária eu ia frequentar, Chayamba ou Kasungu. Desde que decidira que queria ser um cientista, eu sabia que essas duas escolas eram as melhores para mim. Tinham os melhores professores, bibliotecas e laboratórios onde um cientista podia fazer seus experimentos. Naturalmente, não me importava qual das duas eu frequentaria – aonde os camaradas precisassem de mim eu iria feliz.

Um grande grupo de alunos já se reunia diante do edifício da administração. Abri caminho para a frente e encontrei a lista. As diversas escolas informavam seus respectivos alunos, relacionados abaixo. Logo encontrei Kasungu e percorri os nomes. Nada. Mudando para Chayamba, meu dedo percorreu os nomes Kalambo, Kalimbu… e então… Makalani.

Espere um pouco, pensei. *Deve haver um engano.*

– Aqui está você, Kamkwamba – disse um garoto chamado Michael, um dos melhores alunos. – Seu nome está aqui, debaixo de Kachokolo.

Ele estava certo. Mas a Escola Secundária Kachokolo era provavelmente a pior escola do distrito. Como Wimbe, era uma escola comunitária muito pobre. Nada de laboratórios. Apenas chuva furando o telhado.

Como pode ser isso?, eu me perguntei.

Então vi as notas das provas publicadas no quadro seguinte. De cinco provas, eu só tirara B em *chichewa*, que era a mais fácil. Em todas as outras, minhas notas tinham sido C e D.

Eu estava indo para Kachokolo porque minhas notas eram péssimas.

Meu coração caiu dentro do estômago. Já imaginava a longa caminhada até Kachokolo, a cerca de cinco quilômetros de distância. Ficava próxima de uma grande fazenda de tabaco. Ali perto corria um rio aonde Geoffrey, Gilbert e eu às vezes íamos pescar. A estrada geralmente vivia cheia de lama.

Michael me deu um tapinha no ombro e riu.

– Parabéns. No mínimo você vai se tornar um bom pescador.

A única coisa boa sobre Kachokolo era que Gilbert seria meu colega. Suas notas também tinham sido péssimas. De qualquer modo, dali a duas semanas, caminharíamos juntos pela longa estrada lamacenta.

O novo ano chegou com chuvas constantes que estimulavam nosso milho a crescer. As mudas tinham brotado bem sem fertilizante e ainda pareciam saudáveis. Agora, suas hastes estavam bem verdes e chegavam à altura das canelas do meu pai.

As chuvas fizeram tudo reviver. Por toda a região, as flores desabrochavam, e as matas e arbustos floresciam. Por onde se andava, sentia-se a fragrância da terra. Era tudo uma piada cruel, naturalmente, porque nada ainda podíamos comer.

No centro comercial, os comerciantes aumentaram o preço do milho para cem kwachas o balde. Os famintos, que havia muito comiam *gaga*, ficavam doentes quando os comerciantes começaram a misturá-la com serragem. Quando isso foi descoberto, uma multidão raivosa se formou ao redor desses homens.

– Gastei todo o meu dinheiro para conseguir uma barriga cheia de serragem? – gritou um deles.

– Meus filhos estão em casa vomitando!

– Vocês são criminosos!

Os famintos podiam reclamar quanto quisessem, mas, sem dinheiro no bolso, não tinham nenhum poder. Vários recorreram ao crime.

Uma tarde, minha mãe chegou como sempre com seus bolos e montou sua banca. Em segundos, um monte de gente desceu, gritando e agarrando os produtos dela.

– Vou levar dois – disse uma mulher.

– Dê-me três – disse outra.

Nesse caos, minha mãe não percebeu que outras estavam pegando bolos de sua bacia e fugindo. Um homem agarrou três bolos, mas, em vez de fugir, sentou-se e comeu-os ali mesmo.

– São nove kwachas – exigiu minha mãe.

– Não tenho nenhum dinheiro – ele respondeu.

Naquele fim de tarde, quando ela voltou, estava descabelada e tinha o horror estampado no rosto.

– Levaram quase tudo, quase tudo mesmo – ela disse, e estava certa. Para o jantar só havia migalhas.

À medida que o preço do milho continuou subindo, minha mãe comprava cada vez menos farinha. O número de bolos que vendia começou a encolher, assim como nossa bolota noturna de *nsima*. No começo eram sete bocados, depois cinco, quatro, três...

– Toda vez que puserem *nsima* na boca, tomem um pouco de água – ela nos disse. – Isso vai enganar seu estômago.

No jantar, nós, crianças, éramos cautelosos com nossas porções. Queríamos ser justos. Mas minha irmã Rose, de sete anos, ficou mais gulosa. Muitas vezes pegava grandes punhados de *nsima* e enfiava-os na boca antes que alguém pudesse impedi-la.

— Ei, devagar! — gritava Doris.

— Talvez você devesse comer mais depressa — respondia Rose.

Estávamos todos magros, principalmente os mais novos, como Rose. Meus pais nunca brigavam com ela por pegar mais que a sua parte, mas uma noite Doris não aguentou mais. Quando Rose agarrou um pedaço de *nsima*, Doris pulou por cima da bacia e começou a socá-la no rosto.

— Mamãe! — gritou Rose.

Minha mãe conseguiu separá-las e depois caiu, batendo contra a parede.

— Por favor — implorou. — Não tenho mais força.

Naquela noite, fomos para a cama com fome de novo, com o cheiro de comida nos dedos — um odor que nem mesmo a água mais quente podia limpar.

As piores coisas vieram com a fome, por mais que eu ansiasse pela escola. Ter fome numa sala de aula cheia de amigos parecia um pouco mais fácil do que ficar com fome em casa.

À medida que o grande dia se aproximava, eu tentava fazer o melhor para estar preparado. Meu primeiro problema foi o uniforme. Quando ainda tínhamos dinheiro, minha mãe havia me enviado às bancas de roupas usadas no centro comercial para comprar uma camisa branca.

Bem, como meu guarda-roupa só consistia em duas camisas no total, acabei usando muito a camisa branca, e ela ficou suja. Então ficamos sem sabão.

Quando os problemas começaram, costumávamos usar uma barra de sabão de lixívia Maluwa, que a família toda partilhava para tomar banho e lavar roupas. Quando ele finalmente acabou, estávamos pobres demais para comprar outro. Podíamos lavar o corpo com água quente e bucha *bongowe*, que funcionava como esponja, mas lavar uma camisa branca não era tão fácil. Tentei de tudo: fervi água, mergulhei a camisa até a água esfriar e então esfreguei até meus ombros doerem.

Nada funcionou, de modo que comecei as aulas com círculos amarelados em volta das axilas e um anel cinza em volta do colarinho. O que podia fazer?

Nessa manhã, encontrei Gilbert na estrada e fomos conversando.

— Gilbert *bo*!

— *Bo*!

– Certeza?
– Certeza.
– Firme?
– Firme!
– Amigo, este é o dia que tanto esperamos!
– Verdade!
– Temos que nos preparar porque vamos ser perseguidos pelos veteranos.
– *Yah*, acho que sim. Quem você acha que vai nos atacar primeiro?
– É o seguinte. Se um veterano se aproximar e não for muito musculoso, devemos atacá-lo *imediatamente*.
– Bom plano.
– E quem você acha que deve atacar primeiro: eu ou você?
– Definitivamente você.

A caminhada de cinco quilômetros para Kachokolo nos obrigava a subir as colinas, atravessar os campos de milho e passar pelos *dambos* onde caçávamos quando éramos pequenos. A escola se situava em um vale cercado de fazendas de tabaco, onde vi tratores arar um campo e alguns homens de sorte com emprego desfrutando um dia de trabalho.

Na escola, nós nos juntamos para a reunião da manhã. Nosso diretor, o sr. W. M. Phiri (que nada tinha a ver com o lutador das histórias do meu pai) estava diante de nós, vestido com um terno marrom surrado. Era um homem velho, careca, exceto por uns tufos de cabelos cinza em volta das orelhas.

O sr. Phiri começou dizendo estar feliz de ver alunos promissores. E estava certo: formávamos um grupo bonito, e todos estávamos muito excitados de continuar nossa educação. No Malaui, a escola secundária era um privilégio e uma honra. Na verdade, tinha certeza de estar vivenciando o melhor momento de minha vida.

– Mas, como toda instituição de ensino – ele disse –, esta escola tem regras que devem ser obedecidas. Todo aluno deve ser pontual e vestir o uniforme adequado. Caso contrário, a punição será rápida.

Terminada a reunião, eu caminhava para a sala de aula quando o sr. Phiri bateu em meu ombro.

– Qual é o seu nome? – perguntou.

Eu me virei e congelei.

– William Trywell Kamkwamba – murmurei, incapaz de esconder meu nervosismo.

– Bem, William, esse não é o uniforme *adequado*.

Coloquei as duas mãos debaixo dos braços para esconder as manchas amareladas. Mas o sr. Phiri estava apontando para meus pés.

– Sandálias não são permitidas – ele disse. – Exigimos que os alunos usem sapatos adequados o tempo todo. Por favor, volte para casa e troque.

Olhei para minhas sandálias de dedo, que já tinham visto dias melhores. A borracha colada à sola estava rasgada em uma delas, obrigando-me a carregar linha e agulha no bolso para reparos de emergência.

Eu não tinha outro par de sapatos em casa. Tinha que pensar rápido.

– Senhor diretor – eu disse –, eu teria calçado sapatos adequados, mas vivo em Wimbe e preciso atravessar dois córregos para chegar aqui. E, como estamos na estação de chuvas, minha mãe não quer que eu estrague meus bons sapatos de couro na lama.

Ele franziu as sobrancelhas e ficou pensando no assunto. Rezei para que funcionasse.

– Tudo bem – ele disse. – Mas, passadas as chuvas, quero vê-lo com os sapatos adequados.

Meus pais também não tinham dinheiro para os livros didáticos. No Malaui, as escolas não forneciam material de ensino como na América. Mesmo nos melhores tempos, a maioria dos alunos não podia pagar por seus livros e precisava compartilhá-los. Na Escola Primária de Wimbe, isso significava sentar com um colega na mesma carteira, esperando que ele não aprendesse a ler mais depressa. Felizmente para mim, Gilbert sempre tivera seus próprios livros e me permitia acompanhá-lo na leitura. Nós dois aprendemos a ler no mesmo ritmo.

Como mencionei, as condições da Escola Primária de Wimbe foram terríveis. Buracos no telhado deixavam passar a chuva. Não havia vidros nas janelas para parar o gelado vento do inverno. As aulas eram dadas embaixo das árvores. E, naturalmente, já lhes contei as histórias terríveis sobre as latrinas.

Eu esperava um ambiente melhor em Kachokolo, mas, quando Gilbert e eu chegamos à nossa sala de aula, nosso professor, o sr. Tembo, disse-nos para nos sentarmos no chão.

– O governo não enviou dinheiro para bancos e carteiras – ele disse, parecendo constrangido. – Nem para coisa nenhuma, diga-se de passagem.

Com certeza também não mandara dinheiro para consertos. No centro do piso havia um buraco gigantesco, onde parecia ter explodido uma bomba. As paredes estavam lascadas e caindo aos pedaços. Uma brisa úmida soprava pelas janelas quebradas. E, claro, quando olhei para o teto, vi uma boa parte do céu.

Para minha alegria, o sr. Tembo era um homem gentil, de fala mansa e paciente com os contratempos. Como a maioria dos professores de escolas comunitárias, morava numa pequena casa vizinha à escola com a mulher e os filhos. Suas roupas eram velhas e estavam um pouco rasgadas, e a pequena horta atrás da casa dificilmente podia sustentar a família. Mas, diferentemente dos agricultores, recebia um salário magro que lhe permitia pelo menos comprar um pouco de milho durante a fome. Ainda assim, eu tinha visto os filhos dele no pátio antes das aulas e notado que seus braços e pernas eram tão finos quanto os meus.

Apesar das péssimas condições, o sr. Tembo não perdeu tempo para iniciar nossas aulas. Começamos por estudar história, abrangendo as antigas civilizações da China, do Egito e da Mesopotâmia. Ficamos sabendo que havia formas primitivas de escrita e como essas culturas se comunicavam. Sempre tive dificuldade em matemática, mas adorei nossas aulas sobre ângulos e graus, assim como usar uma régua para fazer medidas. Lembrei-me de ter ouvido essas palavras dos construtores no centro comercial.

Uma certa tarde, começamos nossas aulas de geografia. O sr. Tembo puxou um mapa-múndi e nos pediu para localizar o continente da África, o que foi fácil.

– Agora, algum de vocês consegue encontrar o Malaui? – ele perguntou.

– *Yah*, aqui!

Corremos os dedos amorosamente sobre nosso país. Não pude acreditar como ele era pequeno comparado ao resto do mundo. Toda a minha vida, assim como tudo o que havia nela, tinha ocorrido naquela pequena faixa de terra. No mapa, a terra era verde, e o lago parecia uma pedra preciosa azul. Era difícil acreditar que onze milhões de pessoas viviam naquele espaço diminuto e que, naquele exato momento, quase todos estávamos morrendo lentamente de fome.

Naquela semana, percebi que estava errado. A fome era tão dolorosa na escola quanto em casa. O dia todo meu estômago roncava e não dava descanso a meu cérebro. Por isso era difícil prestar atenção. No começo, eu e meus colegas estávamos ansiosos por levantar a mão e responder a uma das perguntas do sr. Tembo. Alguns de nós até competíamos para ser o primeiro a responder.

– Kamkwamba, aqui! Aqui! – eu gritava.

Mas, depois de duas semanas, um silêncio caiu sobre a classe todas as manhãs e nunca mais se levantou. Os rostos ficaram mais magros. E, como não tínhamos sabão ou loções em casa, nossa pele aos poucos foi ficando seca e coberta de cinzas. No fim das aulas, alguns de meus amigos simplesmente saíram da escola para procurar comida e nunca mais voltaram.

De qualquer modo, nada disso importava mais. No primeiro dia de fevereiro, o sr. W. M. Phiri fez o seguinte anúncio:

– A administração está ciente dos problemas que todos nós enfrentamos no país inteiro. Mas muitos de vocês ainda não pagaram a escola para este período. A partir de amanhã, o pagamento é obrigatório.

Meu pior medo se realizava. Eu sabia que meu pai não tinha pagado a escola, mas quem eu queria enganar? Estávamos comendo só uma vez por dia. Não podíamos comprar uma barra de sabão, quanto mais pagar mil e duzentos kwachas pela escola. De volta para casa, fiquei furioso comigo mesmo por ter me animado e imaginado que poderia frequentar a escola. Eu me permiti um vislumbre do sonho, e agora tudo em volta estava desmoronando.

– O que vou fazer? – perguntei ao Gilbert. – Não tenho escolha senão aceitar as consequências.

– Não fique nervoso – ele disse. – Vá para casa e veja o que acontece.

Quando cheguei em casa, encontrei meu pai no campo.

– Estão dizendo que devo pagar a escola amanhã, mil e duzentos kwachas – eu disse. – Então temos que pagar. O sr. Phiri não estava brincando.

Meu pai olhou para o chão por longo tempo e então disse:

– Você conhece nosso problema, filho. Não temos nenhum dinheiro no momento. Sinto muito.

Na manhã seguinte, fiquei à beira da estrada, esperando o Gilbert.

Por alguma razão, eu ainda vestia o uniforme da escola, mas não ia a lugar algum. Quando Gilbert apareceu e acenou, deixei-o passar.

– O que aconteceu? – ele perguntou, voltando. – Você não vai à escola?

Tive vontade de chorar.

– Estou caindo fora. Meus pais não têm o dinheiro.

Gilbert pareceu triste, o que me fez sentir-me melhor.

– Lamento muito, amigo. Espero que eles o consigam.

– Sim, talvez – eu disse. – Vejo você mais tarde, Gilbert.

Fui até a casa de Geoffrey para lhe dar a notícia. Algumas semanas antes, ele teve sorte quando um raio derrubou uma árvore em seu pátio. Ele a serrou em feixes e os vendeu como lenha na estrada. Foi o suficiente para manter sua família comendo por um tempo – ou pelo menos foi o que pensei.

Geoffrey estava se vestindo quando entrei em seu quarto e tive um sobressalto quando o vi. Ele tinha perdido muito peso. Seus olhos estavam afundados e pretos, mas as partes brancas pareciam brilhar. *É assim que parecem os que estão morrendo de fome,* pensei. Pareciam fantasmas.

– Por que não está na escola? – ele perguntou. – Você não foi selecionado para Kachokolo?

– Nada de dinheiro. Hoje eu caí fora.

– Oh – ele murmurou, e então calou-se. – Eu e você estamos na mesma situação desesperadora. Espero que Deus tenha um plano para nós.

– *Yah* – eu disse. – Eu também.

À tarde, esperei Gilbert na estrada. Quando ele me viu, balançou a cabeça.

– Quase todos caíram fora – ele disse. – Hoje fomos poucos.

Dos setenta alunos, só vinte tinham permanecido.

Tempo de morrer

Na semana seguinte, a *gaga* finalmente se esgotou no centro comercial. As pessoas começaram a viver de folhas de abóbora e, quando estas também acabaram, vasculhavam o lixo em busca de cascas de banana e espigas velhas e secas. Ao longo da estrada, cavavam raízes de árvores e comiam grama, qualquer coisa que enchesse seu estômago.

Quando a inanição se estabelecia, os corpos começavam a mudar. Algumas pessoas ficavam tão magras que pareciam esqueletos andantes. Outros desmoronavam com *kwasshiorkor*, uma desnutrição edematosa causada por falta de proteína. Em vez de murchar como todos os demais, seus braços, pernas e barriga se enchiam de líquido e inchavam. Essa era outra das piadas cruéis da fome. A verdade é que eles estavam morrendo.

Todos os dias os famélicos paravam em nossa casa e imploravam ajuda a meu pai. Viam que tínhamos placas de ferro em uma parte da nossa casa e pensavam que éramos ricos, embora elas estivessem presas por pedras. Alguns dos homens diziam que tinham caminhado cinquenta quilômetros.

– Se tiver uma bolacha, por favor, posso trabalhar – imploravam, seus pés nus tão inchados que nem conseguiam calçar sandálias. – Estamos há seis dias sem comer. Se tiver um pratinho de *nsima*.

– Não tenho nada – meu pai insistia. – Mal consigo alimentar minha família.
– Então nos dê um mingau – pediam.
– Eu disse não.

Alguns homens estavam muito fracos para continuar e dormiam no nosso pátio a noite toda. A terra e a madeira estavam úmidas demais para se fazer uma fogueira. E, quando a chuva chegava à noite, eles se enrolavam debaixo da varanda e tremiam de frio. De manhã, iam embora.

Algumas noites depois, estávamos sentados fora de casa fazendo nossa refeição quando um homem se aproximou vindo da estrada. Estava coberto de lama e tão magro que era difícil entender como ainda estava vivo. Seus dentes saltavam para fora da boca trêmula, e seu cabelo estava caindo. Sem uma palavra, ele se sentou ao nosso lado. Então, para meu horror, enfiou a mão suja em nossa tigela e roubou uma porção enorme de *nsima*. Ficamos ali sentados, em choque, sem dizer nada quando ele fechou os olhos e começou a mastigar. Engoliu com satisfação e, quando o bocado estava seguro no estômago, voltou-se para o meu pai.

– Tem mais?
– Não, lamento – disse meu pai.
– Tudo bem, então – o homem respondeu, levantou-se e foi embora.

As pessoas continuavam a brotar aos montes da mata. Mais que nunca, convergiam para o centro comercial como rebanhos de animais enlouquecidos fugindo de um incêndio. Mulheres de rostos descarnados cobertos de cinzas sentavam-se sozinhas, implorando a misericórdia de Deus. Faziam isso em silêncio e sem lágrimas. A angústia se expressava principalmente no silêncio, já que poucos tinham energia para chorar.

Alguns comerciantes ainda espalhavam sua lona na lama e ofereciam grãos, que, entretanto, estavam cada dia menores. Mas, vendidos a preço de ouro, era como comprar o universo e as estrelas em meio quilo. As multidões se juntavam ao redor, principalmente para ver, com atordoado espanto, como se assistissem a um sonho nos céus. Os que ainda tinham energia a usavam para gritar e implorar que suas famílias pudessem viver.

— *Bwana*, só um pratinho de farinha para o meu filho. É só o que preciso. É para o meu filho.

— Se eu der a você... — respondiam os comerciantes, e não diziam mais nada.

Os que ainda tinham energia se aproximavam, atacavam como uma matilha de lobos faminto quando um pedacinho caía no chão, engolindo o cascalho e tudo o mais.

Cada grupo contava uma história diferente de morte:

— Um homem passou dias procurando comida — disse um homem. — Uma manhã ele decidiu tirar uma soneca sob uma árvore e nunca mais acordou.

— Eu estava cozinhando — disse outro — quando um homem chegou e sentou-se. Disse que precisava comer. Mas, antes que a *nsima* ficasse pronta, ele morreu.

Outros estavam há tantos dias sem comer que, assim que punham alguma coisa no estômago, tinham um choque fatal. Uma mulher passara por cima de dois homens mortos na estrada, ainda agarrados a suas enxadas. Homens cujas pernas tinham sido atacadas pela *kwashiorkor* tentavam drenar suas enormes bolhas com a faca e acabavam morrendo de infecção.

As pessoas que perambulavam pelas estradas não eram as únicas que estavam definhando. Uma noite, no começo de fevereiro, sentei-me para comer minha pequena porção de *nsima* e notei Khamba de pé na porta aberta. Tinha a cabeça baixa e os olhos fundos, e, com a luz da lanterna, pude contar todas as vértebras sob sua pele. A simples travessia do pátio o deixara exausto.

Como tantos outros em Wimbe, meu cão estava morrendo.

Sua última refeição fora a pele de cabra no Natal, que lhe dera força e até um pouco de peso. Mas desde então só consegui alimentá-lo cinco vezes — e apenas com um pouquinho de *nsima*. Naquela noite não tinha o que lhe dar.

— Lamento, amigo — eu disse, e senti um caroço na garganta. — O que tenho não dá pra dividir.

Comi rapidamente. Quando a comida acabou, pulei por cima de Khamba e fui para o meu quarto. Deitei na cama e caí em um sono estranho e inquieto. Sonhei que meu estômago tinha ocupado meu corpo todo, enchendo meus braços, pernas e cabeça como um enorme balão. Mas, a certa altura do sonho, a bolha estourou e só restou o vazio. Foi aí que percebi que meu estômago estava cheio de ar. Agora ele estava encolhido e inútil, e roncava de angústia. Inspirei fundo várias vezes para enchê-lo de novo, mas não houve jeito. Meu corpo todo doía.

Tenho que comer, pensei.

Fiquei ali deitado, ouvindo a chuva no teto, até encontrar força para me mexer. Desci da cama e saí. Parei na porta da cozinha e dei uma espiada lá dentro. Khamba estava enroscado perto do fogo, que já não aquecia mais.

– Khamba! – gritei. – Vamos caçar!

A palavra o fez erguer a cabeça como se tivesse levado um choque. Bateu o rabo contra o chão e se esforçou para se pôr de pé. Fazia um ano que eu lhe dizia isso, e ele ainda ficava a postos. Na verdade, seu rabo balançava com tanta força que pensei que ia bater nele quando voltasse.

– Vamos achar comida, garoto.

Como não tinha nenhuma *gaga* de milho para minha armadilha, agarrei um punhado de cinzas da fogueira e atirei-o num saco de açúcar. Partimos em direção às Dowa Highlands, que pareciam sempre envoltas em nuvens de turbulência. Caminhamos devagar para poupar energia e assobiei uma canção alegre para elevar a moral.

O milho estava crescido e verdejante em nossa lavoura, mas eu sabia que ainda ia demorar para podermos comê-lo. Talvez um mês ou um pouco mais. Em breve aquelas nuvens escuras sumiriam. Olhei o céu à procura de passarinhos, mas não vi nenhum.

No local da armadilha, armei o gatilho. Espalhei as cinzas no chão e suspirei. Era uma imagem patética.

– Vamos esperar que os passarinhos estejam tão famintos quanto nós – eu disse.

Se conseguíssemos pegar três passarinhos, talvez à noite eu pudesse dormir melhor. Khamba poderia recuperar alguma força e aguentar mais uma semana. Peguei a corda e a arrastei até uma árvore próxima, onde eu e Khamba nos deitamos e esperamos. Ele pegou no sono imediatamente.

Quinze minutos depois, um pequeno bando de passarinhos voou baixo e pousou ao lado da armadilha. Khamba ergueu a cabeça de repente, como se os tivesse visto em seus sonhos. Enquanto eles se dirigiam aos pulinhos para a área de matança, deixei minha imaginação vagar. Imaginei uma fogueira no pátio, senti as mãos esfregando sal na carne e depois pendurando as peças acima das brasas. Ouvi o chiado e aspirei o delicioso aroma.

A batida repentina do meu coração me arrancou do devaneio, bem a tempo de ver os passarinhos se aproximar da isca. Eu ia puxar a corda quando eles perceberam que só havia cinzas e voaram para longe numa explosão de asas.

Suspirei diante da derrota. Podia até ter chorado.

Naquela noite, de volta para casa, Khamba caiu numa sonolência profunda e apavorante. Foi difícil despertá-lo, mesmo com um pouco de *nsima* e folhas de abóbora que eu tinha poupado do jantar.

– Khamba! – gritei. – Jantar!

Ele abriu os olhos e me atingiu com um golpe do rabo. Vários minutos se passaram até ele poder se levantar para comer. Seu corpo tremeu quando ele engoliu.

Dois dias depois, eu o alimentei de novo. Só havia algumas folhas de abóbora, que coloquei com uma colher em sua tigela.

– Eu gostaria que houvesse muito mais – eu disse. – Porém, isto foi tudo que pude conseguir.

Mas, assim que a comida chegou ao estômago de Khamba, ele vomitou. Eu sabia que o fim estava próximo.

– Aguente mais um mês. Daqui a um mês estaremos nos regalando.

Na manhã seguinte, meu primo Charity veio à nossa casa. Estava com seu amigo Mizeck, que a princípio não reconheci. Mizeck sempre fora um cara grande, um verdadeiro pugilista, mas agora eu podia ver os ossos de seu rosto. Quando viu Khamba, sua voz soou um tanto alucinada.

– Veja isso – ele disse. – Este cachorro é comovente.

Khamba estava sonolento, imóvel apesar das moscas que lhe cobriam a pele. Não se incomodava com mais nada.

– Não consigo nem olhar para ele! – ele disse.

Tentei mudar de assunto.

– E aí, o que seus camaradas vão fazer hoje? – perguntei.

– Vamos ao centro comercial, como sempre – respondeu Charity. – Talvez a gente encontre algum *ganyu*, mas não tenho muita esperança.

Enquanto Charity e eu conversávamos, Mizeck não tirou os olhos de Khamba, como se estivesse obcecado.

– Você precisa tirá-lo desse sofrimento – ele disse. – Leve-o para o fundo da casa e use uma pedra grande.

Fingi que não tinha ouvido.

– Ele tem razão, William – disse Charity. – Não vê que o cão está sofrendo? Leve-o a um *dambo* onde a água esteja alta. Ele não sentirá dor.

– Es-espere um minuto – eu disse, gaguejando. – O que vocês estão dizendo?

– Estamos dizendo que já é hora de você ser homem – disse Mizeck.

Tive vontade de quebrar a cara dele.

– Meu cão está bem – eu disse. – E logo vai melhorar. Daqui a um mês nós estaremos...

– Se você não pode fazer isso – retrucou Mizeck –, nós faremos por você.

Olhei para Charity, que então baixou a voz.

– É a coisa certa a fazer, William. Não se preocupe com nada. Amanhã nós voltamos e o levaremos. Ele não vai sentir nada.

Lutei para encontrar palavras, algum modo de protestar. Mas os olhos alucinados de Mizeck me tiraram a respiração. Estavam amarelos como os de uma hiena.

Quando Mizeck e Charity finalmente foram embora, senti-me tonto e fraco, como se minhas pernas fossem de grama. Sentei-me ao lado de Khamba e fiquei olhando-o dormir. As moscas circulavam e pousavam, circulavam e pousavam. Devo ter ficado ali uma meia hora, até que ele finalmente abriu os olhos e me viu. Depois balançou o rabo lentamente. A maneira como me olhou, mesmo naquele estado, fez-me lembrar de nossos dias juntos, quando podíamos nos comunicar sem falar.

Decidi então que não deixaria que Mizeck e Charity o levassem. Considerei todas as opções até que escureceu. Eu tinha a resposta. Eles tinham razão sobre Khamba; ele estava sofrendo. Mas estavam errados sobre mim. Eu podia ser homem.

Na manhã seguinte, eu estava sentado com Khamba quando Charity apareceu no pátio. Meu coração se acelerou. Ele olhou para o cão e veio em nossa direção. Mas, antes que pudesse dizer qualquer coisa, eu me levantei.

– Vou levá-lo – eu disse.

– O quê?

– Vou levá-lo para a mata.

Ele pareceu confuso.

– Com uma pedra é muito rápido – ele disse. – Assim como o *dambo*.

– É o que eu quero.

Charity concordou com um aceno de cabeça.

– É a coisa certa a fazer. Vamos fazer isso juntos. Hoje.

Naquela tarde, quando Charity voltou, caminhamos até um lugar à sombra atrás do meu quarto, onde Khamba dormia. Ele não tinha se mexido desde a noite anterior.

– Khamba! – eu disse. – Vamos caçar!

Ele ergueu a cabeça.

– Eu disse "vamos"!

Ele cambaleou para se pôr de pé, sacudiu-se para espantar as moscas e veio mancando até mim. Levamos eras para sair dali. Eu precisava voltar até ele para fazê-lo se mexer.

– Vamos, garoto. Você consegue.

Caminhamos até as colinas. O sol mergulhava a oeste e coloria as colinas com um brilho cor de tangerina. O ar era quente e seco, o clima era perfeito para caçar. Penetramos no bosque de eucaliptos que Khamba conhecia muito bem. A certa altura, Charity saiu da trilha e disse:

– Por aqui.

Khamba e eu o seguimos com esforço pelo capim alto. As lágrimas me ardiam na garganta, mas eu as engoli. Charity olhou para mim.

– Não fique triste – ele disse. – É só um cachorro.

Eu concordei com um aceno de cabeça.

– *Yah*, só um cachorro.

Minutos depois, paramos onde o mato era espesso e o capim chegava ao nosso peito. As montanhas eram visíveis além dos eucaliptos.

– Aqui é um bom lugar – disse Charity. – Ninguém vai passar por aqui.

Eu não achava que era um bom lugar. Virando-me, ainda podia ver o telhado de minha casa.

– Está muito perto! – eu disse.

– Este cão não consegue andar mais.

Olhei para Khamba. Caíra no capim alto sob uma árvore *thombozi* e ofegava ferozmente.

Sem dizer nada, Charity começou a descascar o tronco de uma árvore *kachere* para fazer uma corda. Eu me virei e olhei dentro do bosque. Quando suas mãos se aquietaram, soube que tudo estava pronto.

– Amarre-o na árvore – eu disse.

Charity prendeu a corda ao tronco da *thombozi* e amarrou a outra ponta à perna do cão. Feito o nó, ele se voltou e começou a se afastar. Quando o segui, Khamba levantou a cabeça e começou a gemer. Sabia que eu o estava abandonando. Depois de alguns passos pela trilha, cometi o erro de me virar para olhar. Ele continuava me olhando. Depois baixou a cabeça.

– Fiz uma coisa horrível – eu disse, andando rápido por entre as árvores.

Quando voltamos, Charity foi para a casa dele, e eu, para o meu quarto. No caminho, passei pela tigela de comida de Khamba perto do galinheiro. Atirei-a no chão, partindo-a em pedaços.

É só um cachorro, pensei.

Fiquei acordado até tarde, sabendo que Khamba estava ali perto, descendo a colina. Seu gritasse bem alto, pensei, provavelmente ele poderia me ouvir.

No dia seguinte, evitei todo mundo e me mantive ocupado na lavoura. Mas, quando voltei para casa naquela tarde, Sócrates estava lá, visitando meu pai.

– Você viu Khamba? – ele perguntou. – Não consegui encontrá-lo em lugar algum.

– Não o vi – eu disse.

— Bem, espero que esses cães selvagens não o tenham pegado.
— *Yah* — respondi. — Eu também.

Naquela noite, eu me esforcei para tirar Khamba da cabeça, mas continuava vendo-o caído no capim alto. A imagem não se mantinha por muito tempo, porque eu estava faminto demais para me concentrar em qualquer coisa.

Na manhã seguinte, Charity me encontrou no meu quarto.

— Vamos ver o que aconteceu com Khamba — ele disse.

— O que você quer dizer?

— Vamos ver se ele está morto. — Ele levava uma enxada e me pediu para levar a minha. — Vamos levá-las para que as pessoas pensem que estamos indo para a lavoura. Assim poderemos enterrá-lo.

Partimos com nossas ferramentas, mas eu estava muito confuso para conversar. Entramos na trilha e depois na mata, onde o capim ainda estava molhado do orvalho da manhã e ensopou minhas calças. Depois de um tempo, vi uma corcova no terreno.

— Vá olhar — disse Charity. — Ele está morto?

Nós nos aproximamos. Khamba estava na mesma posição onde o deixamos, com a cabeça apoiada nas patas dianteiras e os olhos arregalados. Soltei um suspiro, esperando que ele se movesse. Então vi sua língua para fora. Estava seca como papel e coberta de formigas.

— Khamba está morto — eu disse.

A corda não estava esticada. Não tinha havido luta. Um pensamento terrível me dominou: depois de me ver partir, Khamba desistira de viver. O que significava que eu o tinha matado.

Enquanto Charity desamarrava a corda, comecei a cavar uma cova. Uma energia furiosa me dominou, e trabalhei mais rápido do que nos últimos meses. Quando a cova ficou pronta, Charity e eu empurramos Khamba lá dentro e então paramos.

— Adeus, Khamba — eu disse. — Você foi um bom amigo.

Enchemos a cova de terra e não deixamos nada para marcar o local. Até escondemos com capim e folhas a terra que tínhamos acabado de cavar. Quando Charity e eu voltamos para casa, não contamos a ninguém o que tínhamos feito. Foi um segredo todos esses anos, até agora.

Vinte dias

Duas semanas depois que enterrei meu cachorro, uma epidemia de cólera varreu nosso distrito.

Os médicos diziam que a doença começara no sul do Malaui em novembro. Um fazendeiro que compareceu a um funeral a trouxe para o norte, onde ela se espalhou como fogo na palha. Dias depois, centenas de pessoas estavam doentes, e doze haviam morrido.

O cólera é uma infecção altamente contagiosa que causa diarreia grave. A maioria das pessoas a contrai ao comer alguma coisa, ou beber água, que esteja contaminada por fezes. Em toda a África, é uma infeliz companheira de toda estação chuvosa. Muitas aldeias possuem latrinas mal construídas que transbordam com as chuvas e poluem as fontes e os riachos onde as pessoas bebem. Moscas varejeiras espalham as bactérias depois de rastejar para fora dos banheiros e pousar sobre alimentos.

A diarreia resultante, clara e leitosa, leva rapidamente à desidratação. Se não forem tratadas imediatamente, as pessoas podem morrer.

Durante a fome, os que saíam em busca de alimento se tornaram portadores involuntários. O cólera os atacava nas estradas e os obrigava a defecar no mato. A chuva, as moscas e as baratas espalhavam a infecção por cascas de banana, raízes e cascas de milho que outras pessoas colhiam para comer.

Para combater o cólera, o ambulatório médico que existia no centro comercial começou a dar cloro para limpar a água potável. Durante meses, a água tinha gosto de metal. Também aconselhou as famílias a cobrir os buracos de suas latrinas para manter as moscas afastadas. Meu pai construiu uma tampa com um pedaço de chapa de ferro, mas, quando a removíamos, as moscas varejeiras voavam como uma praga bíblica e batiam contra nossa cabeça. Era um trabalho imenso tentar eliminá-las e acabar o que tínhamos que fazer ao mesmo tempo. Nesses dias, qualquer sinal de diarreia causava alarme.

Todas as manhãs, os doentes de cólera passavam por nossa casa a caminho do ambulatório com olhos enevoados e a pele enrugada pela desidratação. Eu os observava até se aproximarem, mas logo corria para casa. Mas, assim que eles passavam, os famintos os seguiam.

Entre a fome e o cólera, tivemos muitos funerais em Wimbe.

Em nossa família, a anemia de Geoffrey piorou. Suas pernas ficaram grotescamente inchadas pelo *kwashiorkor*. Se você tocasse o pé dele, seu dedo deixava uma marca na pele como se fosse barro.

– Você consegue sentir? – perguntei-lhe um dia, tocando as bolhas lentamente. – Isso dói?

– Não sinto nada – ele respondeu.

Ele também ficou tonto e tinha dificuldade de andar em linha reta. Uma tarde, quando o levei para tomar sol, ele parou e disse:

– Espere, volte. Não estou enxergando.

Ficamos ali parados até seus olhos se ajustarem à luz antes de continuarmos.

Durante meses, a mãe dele só lhe dera folhas de abóbora. E agora, como Khamba, ele estava morrendo. Como pouco se podia fazer, minha mãe deu metade de nossa farinha diária para a mãe de Geoffrey.

– Dá para fazer um mingau – ela lhe disse. – Não é muito, mas não posso ver minha família sofrer.

Estávamos todos perdendo peso, principalmente eu. Agora, os ossos eram visíveis no peito e nos ombros, e o cinto de corda que eu fizera para segurar as calças não servia mais. Meus braços e pernas pareciam troncos finos de eucalipto e doíam o tempo todo. Eu tinha dificuldade de fechar a mão.

Uma tarde, estava plantando sementes no campo quando meu coração começou a bater rápido demais, fiquei sem fôlego e quase desmaiei. *O que está acontecendo comigo?*, pensei. Aterrorizado, dobrei lentamente os joelhos até tocar o chão e fiquei ali até minha pulsação voltar ao normal e eu poder respirar de novo.

Naquela mesma noite, fiquei sentado em meu quarto com a lamparina acesa enquanto a fome tentava enganar minha mente. Se eu ficasse sentado e imóvel, as paredes giravam em círculos como um carrossel. Eu perseguia uma centopeia que subia pela parede pelo que me pareciam horas. Quando uma mariposa passou perto da lamparina, agarrei suas asas e lhe perguntei: "Como é que você está viva? O que anda comendo?".

Uma coisa era certa: nenhuma magia podia nos salvar.

Até meu pai, um homem enorme, murchava como uva passa. Ossos pontudos substituíam músculos fortes. Os dentes pareciam maiores, o cabelo estava mais fino, e pela primeira vez notei manchas na sua pele. Uma tarde ele disse que tinha dificuldade de enxergar o que havia do outro lado do pátio. A fome estava roubando sua visão, como fizera com Geoffrey.

Parecia que, quanto mais magro ficava, mais meu pai queria se pesar. Tinha uma balança pendurada por uma corda no galpão para pesar o milho, e certa manhã observei sua rotina. Ele agarrava o gancho e se pendurava como uma saca de grãos, olhando o ponteiro. Soltava um gemido e dizia:

– Hummm, cinco quilos, mãe...

Como sempre, minha mãe vinha ver, mas se recusava a se pesar, o que também era proibido às crianças. Como muitas mulheres durante a fome, ela começara a enrolar seu *mpango* ao redor da cintura como um cinto. Dizia que isso confundia seu estômago e enganava seu coração, fazendo-o bater mais devagar e ajudando-a a respirar.

À noite, ela recorria a jogos mentais para ajudar as crianças.

– Vocês estão perdendo peso porque pensam em comida – ela nos dizia. – Vocês não sabem que isso faz seu corpo ficar mais tenso e queimar ainda mais energia?

Minhas irmãs choravam.

– Mas, mamãe, eu não quero ficar inchada – disse Aisha.

– Então pense apenas em coisas positivas – disse-lhe minha mãe. – Faça isso por mim.

A única coisa positiva em que podíamos pensar era nossa colheita de milho. No campo, as hastes haviam crescido à altura do peito de meu pai. As primeiras espigas tinham começado a se formar, mostrando sinais de seda vermelha, e os talos e folhas passavam de verdes a amarelos. Enquanto os homens secavam e morriam à nossa volta, nosso milho crescia forte.

– Vinte dias – foi a previsão que fiz ao meu pai.

– Devo dizer que você está certo.

Se estivesse de fato correto, em vinte dias o milho estaria suficientemente maduro para ser colhido, o que amorosamente chamávamos de *dowe*. Equivale ao que os americanos dizem quando os grãos estão macios e doces e estalam entre os dentes. Dia e noite eu sonhava com *dowe*.

No começo de março, os pés de milho tinham chegado à altura da cabeça do meu pai. Nessa fase, a flores diziam tudo. Quando a seda vermelha e amarela começava a secar e se tornava marrom, a gente podia começar a verificar os pés de milho em busca de *dowe*. Eu ia de pé em pé, apertando as espigas para sentir o grão. Se o miolo se esfarelasse, era cedo demais. Mas, se estivesse firme, o milho estava maduro.

Durante uma semana, Geoffrey e eu andamos de lá para cá entre as fileiras da plantação, apontando os pés que estavam quase maduros. Até que finalmente apertei uma espiga que parecia madura. Estava firme.

– Esta está no ponto – eu disse.

– *Yah* – disse Geoffrey, apontando outra. – Esta também... e esta... e esta!

– O dia há muito esperado finalmente chegou. Vamos comer!

Usando o que restava de nossa energia, corremos entre as fileiras colhendo o *dowe* maduro nos braços.

Logo cada um de nós tinha quinze espigas. Descascamos a primeira camada de palha, amarramos uma espiga na outra e as dependuramos no pescoço. A visão de Geoffrey e de mim atravessando o pátio com colares de *dowe* quase causou um tumulto.

– Está maduro? – perguntou Aisha, seus olhos arregalados de excitação.

– Sim.

– O *DOWE* ESTÁ MADURO!

Na cozinha, aticei os carvões do fogo até ficarem em brasa. Logo minhas irmãs se amontoaram na cozinha, disputando espaço.

– Calma! – gritei. – Há *dowe* para todo mundo!

Coloquei várias espigas diretamente sobre os carvões, e então as girei até as peles ficarem crocantes e escuras. Queimei os dedos pegando uma, descasquei a pele fumegante e comecei a comer. Os miolos estavam carnudos e mornos, cheios da essência de Deus. Mastiguei devagar. Cada vez que engolia, estava voltando a algo que estava faltando havia muito tempo.

Olhei para cima e vi meus pais à porta.

– Não acredito que esse *dowe* esteja maduro – disse meu pai, tirando uma espiga do fogo. Tirou a casca e deu a primeira mordida. Segundos depois, o sangue da vida correu pelo seu rosto. Ele soube que íamos viver.

– Está maduro – ele disse, e sorriu.

Naquela tarde, devemos ter comido trinta espigas de milho. Como se o céu tivesse se aberto, as primeiras abóboras também estavam maduras. Minha mãe as cozinhou, com semente e tudo, e as serviu em cestas fumegantes. Meu Deus, ter o estômago cheio de comida quente era um dos maiores prazeres da vida. Geoffrey e a mãe dele começaram a vir à nossa casa para desfrutar refeições de abóbora e *dowe* conosco. Logo o inchaço das pernas de Geoffrey desapareceu, e ele já sorria como antes.

Para Geoffrey e para mim, março foi uma longa celebração. Todas as manhãs, antes do trabalho, fazíamos uma fogueira no campo e tomávamos um robusto café da manhã de milho assado e abóbora. Lembrei-me da parábola do semeador que Jesus contou aos discípulos. As sementes plantadas à beira da estrada foram pisadas e danificadas, as plantadas em solo pedregoso não criaram raízes, e as plantadas em meio a espinhos ficaram emaranhadas nas farpas. Mas as sementes plantadas em solo fértil brotaram e prosperaram.

– Sr. Geoffrey, somos como sementes plantadas em solo fértil, não à beira da estrada, para serem pisadas por todos os que passam.

– Não, não, não nós.

– Está certo. Nós vivemos. E sobrevivemos.

A biblioteca

Em todo o distrito, o *dowe* e as abóboras eram como um grande exército em marcha para nos salvar da morte certa. Naturalmente, nossa vida não voltaria ao normal até a colheita, dali a dois meses. À noite, a mesma bolota de *nsima* nos era oferecida. Mas pelo menos era o início de algo melhor. No centro comercial, as pessoas começaram a sorrir e a falar sobre o futuro.

À medida que o distrito lentamente recuperava sua energia, os alunos da Kachokolo voltaram à escola para retomar seus estudos. Mas, como meus pais ainda não podiam pagar a escola, fui obrigado a permanecer em casa. Além da capinação, havia pouco trabalho a fazer nos campos até a colheita.

Eu passava muito tempo no centro comercial jogando *bawo*. Alguém também me ensinou um jogo maravilhoso chamado xadrez, que eu jogava todos os dias. Mas esses jogos não eram suficientes para estimular minha mente. Eu precisava de outro passatempo, algo capaz de enganar meu cérebro para ser feliz. Dia e noite, eu só pensava na escola. Sentia uma falta terrível dela.

Então me lembrei de que uma pequena biblioteca tinha sido inaugurada no ano anterior na escola primária de Wimbe. Era uma iniciativa de um grupo chamado Diretoria de Treinamento de Professores do Malaui, e todos os livros eram doados pelo governo americano. Talvez a leitura impedisse meu cérebro de ficar idiota.

A biblioteca estava instalada em uma salinha perto do escritório principal. Entrei e fui cumprimentado por uma linda senhora, que sorriu e disse:

– Veio pegar alguns livros emprestados?

Era a sra. Edith Sikelo, professora de inglês e estudos sociais em Wimbe que trabalhava como bibliotecária da escola.

Eu a cumprimentei e então perguntei:

– Como faço isso? – Era a primeira vez que eu via uma coisa como aquela.

A sra. Sikelo abriu uma cortina, revelando três enormes prateleiras que quase chegavam ao teto e estavam cheias de livros. O ar tinha um aroma doce e mofado, que daquele dia em diante passei a achar reconfortante. Ela explicou as regras de empréstimo e depois me mostrou os vários títulos disponíveis. Eu esperava encontrar livros de nível primário e livros didáticos enfadonhos. Mas, para minha surpresa, aqueles livros vinham de todas as partes do mundo, de lugares como a América e a Inglaterra, o Zimbábue e a Zâmbia. Vi livros de história e de ciência, e até romances para uma leitura mais prazerosa.

Naquela manhã, passei horas sentado no chão, folheando livros e admirando as fotos. Pela primeira vez na vida, tive a sensação de escapar sem ir a lugar nenhum. Os livros de outros países eram especialmente fascinantes, mas acabei escolhendo os mesmos textos didáticos malauianos que meus colegas estavam estudando na escola. Era o fim do semestre, e meu plano era estar preparado antes que as aulas recomeçassem.

Em casa, fiz uma rede com quatro sacas de farinha e a estendi entre duas árvores. Passava as manhãs na biblioteca e, durantes as tardes quentes, lia à sombra das árvores.

Logo depois disso, Gilbert se ofereceu para me ajudar nos meus estudos independentes. Todos os dias, depois das aulas, ele chegava e me explicava as lições.

– O que vocês aprenderam em ciências? – perguntei uma vez.

– Tipos de clima.

– Posso copiar suas anotações?

– Claro.

Mas, por mais que eu gostasse de ler, achei isso terrivelmente difícil. Primeiro, porque meu inglês era ruim, e articular as palavras gastava uma boa quantidade de tempo e energia. Além disso, uma parte do material era confuso, porque eu não tinha um professor que me explicasse as coisas.

– Em agricultura – perguntei ao Gilbert –, o que significa "intemperismo"?
– É quando as chuvas desintegram as rochas e o solo.
– Ah. Entendi.

Um sábado, Gilbert foi me encontrar na biblioteca só para nos divertirmos um pouco olhando os livros. Não podíamos estudar o tempo todo. O primeiro livro que lhe mostrei foi *Ciência integrada para principiantes*, usado pelos alunos mais velhos da escola secundária. Continha muitos gráficos e fotos de coisas estranhas e interessantes: pessoas com hidrofobia e crianças acometidas de *kwashiorkor*, como tantas outras que perambulavam pelo nosso país. Uma foto mostrava um homem com uma roupa prateada inflada.

– O que está acontecendo aqui? – perguntei.
– Ele está caminhando na Lua – disse Gilbert.
– Impossível.

Virando as páginas, vi uma foto da cachoeira de Nkula, no rio Shire, localizada no sul do Malaui. Era onde a EFEM tinha a usina de energia que mencionei antes e onde o país obtinha sua energia elétrica. A única informação que eu tinha era que o rio transbordava montanha abaixo, atingia a fábrica e então PUF, havia eletricidade. De como isso funcionava eu não tinha a menor ideia.

Mas aquele livro explicava tudo. Dizia que a água girava uma roda gigantesca na usina, chamada turbina, e a turbina produzia eletricidade.

– Bem – eu disse a Gilbert –, isso parece funcionar exatamente como o dínamo de uma bicicleta. Também acende a lâmpada quando a roda gira.

A foto da cachoeira de Nkula me fez pensar no *dambo* que havia atrás da minha casa. Na época das chuvas, sempre formava uma cascata.

– E se eu colocasse um dínamo abaixo dela? – eu disse. – A queda da água a faria girar, com isso, e produzir eletricidade! Poderíamos ouvir o rádio sempre que quiséssemos.

O único problema seria levar os fios até minha casa, o que custaria uma fortuna. E o que eu faria o resto do ano, quando o terreno fosse apenas um pântano encharcado?

– Acho que terei que pesquisar um pouco mais – eu disse.

Mais tarde, naquele dia, encontramos outro livro fascinante, chamado *Explicando a física*. Estava cheio de fotos e ilustrações, principalmente da Inglaterra. Para minha surpresa, respondia a muitas das perguntas que eu vinha me fazendo havia tempo – como os motores queimavam gasolina para o veículo se mover, ou como os toca-fitas liam a música naquele disco lustroso. (Para aqueles que se fazem a mesma pergunta: porque usam raios *laser*!) Encontrei um capítulo inteiro sobre baterias. Outra foto mostrava como funcionam os freios de um carro. Eu sempre pensara que os carros usavam faixas de borracha para parar as rodas, como em uma bicicleta. Aquele livro dizia outra coisa.

– Freios a vácuo? – eu disse. – Uau, Gilbert! Realmente preciso pegar emprestado este livro.

Mas *Explicando a física* era mais difícil de ler do que *Ciência integrada*. As palavras e as frases eram longas, complicadas e nem sempre fáceis de traduzir. Depois de um tempo, inventei um método de entender as palavras no seu contexto. Por exemplo, se estava interessado em uma foto ou ilustração indicada como "Figura 10" e não sabia o que significava, eu percorria o texto até encontrar a Figura 10 mencionada. Então, estudava todas as palavras e frases sobre ela, frequentemente pedindo à sra. Sikelo que as procurasse em um dicionário.

– Pode procurar a palavra *voltagem*? – eu pedia.

– Claro, alguma mais?

– *Resistor*. Ah, e *díodo*.

Lentamente, comecei a aprender inglês, assim como as ciências, que em breve iriam capturar minha imaginação.

Depois de algumas semanas lendo aquele livro, eu me deparei com o capítulo mais surpreendente: a discussão sobre os ímãs. Eu sabia um pouco sobre ímãs porque eles são encontrados nos microfones de rádio. Eu arrancara alguns e os levara para a escola como brinquedos para mover placas de metal sobre uma folha de papel.

O livro explicava que todos os ímãs têm um polo norte e um polo sul. O polo norte de um ímã atraía o polo sul de outro, enquanto polos idênticos sempre se repeliam. Vocês provavelmente já experimentaram isso ao brincar com essas coisas. A própria Terra tem um núcleo de ferro líquido que atua como uma enorme barra magnética em relação aos seus polos.

Os ímãs, como a Terra, possuem campos de força naturais que se irradiam entre os polos. A extremidade sul de uma barra magnética sempre será atraída para o polo norte da Terra. É assim que a bússola funciona: o ponteiro magnético dentro dela sempre aponta o norte, para evitar que você se perca.

O capítulo mais fascinante era sobre eletromagnetos, ou eletroímãs, que funcionam quando se aplica força a uma bobina de fio metálico. Segundo o livro, pode-se construí-los com objetos do dia a dia, como pregos e pilhas.

Quando a eletricidade de uma fonte de energia – como uma bateria – passa por uma bobina de fio metálico, cria um campo magnético. Esse campo magnético pode ser ainda maior se o fio está enrolado em um bom condutor, como um prego. Quanto mais ele está enrolado, mais forte o eletromagneto. A força pode ser ainda maior quando se usa um fio mais espesso ou quando se aplica mais força. O livro mostrava eletroímãs enormes erguendo carros e pesadas peças de metal. Mas as menores, ele explicava, ajudavam a acionar motores simples em rádios e alternadores de carro.

– Aha! – eu disse alto. – Estão falando sobre rádios!

Eu estava sentado na rede quando li essa informação. Tinha levado mais de um mês para chegar a essa parte do capítulo, principalmente por causa de todas as palavras estranhas em inglês que precisava aprender. Mas agora chegara à parte mais interessante: "Como esses motores funcionam".

Bem, num simples motor elétrico, a bobina de fio metálico em um eixo encaixa-se dentro de um invólucro que na verdade é um grande ímã. Eu soube disso abrindo motores de rádio e desemaranhando o fio de cobre

– principalmente para construir brinquedos. Quando esse fio de cobre é conectado a uma bateria (ou a qualquer fonte de energia) e fica magnetizado, recebe toda a carga e quer lutar com o ambiente magnético maior que a cerca. O puxa e empurra entre polos opostos faz o eixo girar. Vocês com certeza conhecem os ventiladores que usamos no verão para refrescar o ar. As pás giram por causa dessa luta que ocorre dentro dele.

Durante toda essa luta e esses giros, esses motores produzem uma energia própria chamada corrente alternada, ou AC. Existe um segundo tipo de energia, chamado corrente direta, ou DC, mas essa é encontrada principalmente em baterias.

A corrente direta flui em uma direção, de uma extremidade a outra da bateria, enquanto a corrente AC muda de direção e pode ser usada de outras maneiras. Ela também é mais fácil de se transmitir. Por causa disso, a maioria dos aparelhos eletrônicos usa a corrente alternada AC. O livro dava um exemplo de motor de corrente alternada: o dínamo de uma bicicleta.

– Aha! – eu disse novamente, lembrando-me da época em que Geoffrey e eu fazíamos experiência com o dínamo, tentando fazer o rádio funcionar. Ele não funcionava quando ligávamos os fios aos terminais da bateria, que só usavam corrente direta. Mas, quando os enfiávamos no furo AC, o rádio tocava.

O livro continuava:

A energia do movimento [do dínamo] é fornecida pelo condutor.

Claro, pensei. *É como o movimento giratório gera energia elétrica – em um dínamo e nas turbinas da EFEM.*

Não consigo dizer quanto isso foi excitante para mim. Embora as palavras e frases às vezes me confundissem, os desenhos estavam claros em minha mente. Era como ler uma língua inteiramente nova de símbolos: AC e DC, positivo e negativo, baterias e interruptores num circuito e várias flechas que mostravam a direção da corrente. Naquele momento, entendi essa linguagem claramente, como se meu cérebro sempre a conhecesse.

Cerca de um mês mais tarde, terminou o semestre escolar, e Gilbert e eu tivemos mais tempo para ficar juntos. Uma manhã, fomos até a biblioteca, mas, assim que chegamos, a sra. Sikelo nos apressou a sair.

– Vocês, meninos, passam horas aqui ocupando meu tempo – ela disse. – Mas hoje tenho um compromisso. Achem alguma coisa rapidamente.

O motivo pelo qual demorávamos muito tempo era que os livros não tinham uma organização. Não estavam colocados nas estantes por ordem alfabética ou por assunto, o que nos obrigava a vasculhar todos os títulos para encontrar algo de que gostássemos. Naquele dia, enquanto eu e Gilbert procurávamos algum livro bom, eu me lembrei de uma palavra inglesa que me deixara perplexo em outro livro.

– Gilbert, o que significa a palavra *grapes*?
– Humm – ele disse. – Nunca a ouvi. Vamos ver no dicionário.

Os dicionários inglês–chichewa ficavam na primeira prateleira. Eu sempre usava um que ficava na mesa da sra. Sikelo, mas, diante de seu humor, não ousei pedi-lo a ela.

Eu me agachei para pegar outro dicionário, e, quando o fiz, notei um livro que nunca tinha visto. Estava enfiado no fundo da prateleira e meio escondido.

O que é isto?, eu me perguntei.

Puxando-o, vi que era um livro didático americano chamado *Usando energia*, que desde esse dia mudou minha vida.

A capa mostrava uma longa fileira de moinhos de vento, embora naquela época eu não tivesse ideia do que seria um moinho de vento. Tudo o que vi foram altas torres brancas com três pás que giravam como as de um ventilador.

– Gilbert – eu disse, chamando sua atenção. – Eles não parecem os cata-ventos que você, o Geoffrey e eu fazíamos?

Costumávamos achar garrafas de plástico velhas no centro comercial. Cortávamos os lados em lâminas como um ventilador, passávamos um prego pelo centro e pendurávamos o cata-vento em uma varinha. O vento fazia girar as lâminas. Um brinquedo de criança.

– *Yah* – ele disse. – Você está certo. Mas esses na foto são enormes. Para que servem?

– Vamos descobrir.

A energia está em toda parte à sua volta, dizia o livro. *Às vezes a energia precisa ser convertida em outra forma para se tornar útil. Como podemos converter formas de energia? Continue lendo e você verá.*

Eu li.

Imagine que forças hostis tenham invadido sua cidade e a derrota pareça certa. Se você precisar de um herói para evitar o desastre, é improvável que você possa ir até a universidade mais próxima e atrair um cientista para o campo de batalha. No entanto, diz a lenda, não foi um general que salvou a cidade grega de Siracusa quando o exército romano a atacou em 214 a.C.

Explicava como Arquimedes usara seu "Raio Mortal" – que na realidade era um monte de espelhos – para refletir o sol sobre os navios inimigos até que, um por um, eles pegassem fogo e afundassem. Esse era um exemplo de como se pode usar o sol para produzir energia.

Assim como o sol, os moinhos de vento também podiam ser usados para gerar energia.

Povos de toda a Europa e do Oriente Médio usaram moinhos de vento para bombear água e moer grãos, ele dizia. *Quando muitas máquinas de vento estão agrupadas em um parque eólico, podem gerar tanta energia quanto uma usina elétrica.*

Tudo se juntava. Procurei Gilbert para ver se ele tinha entendido a mesma coisa.

– Se o vento faz girar as pás de um moinho de vento – eu disse –, e o dínamo funciona quando giramos os pedais, as duas coisas podem funcionar juntas.

Lembrei o que o livro dissera sobre o dínamo: *A energia do movimento é fornecida pelo condutor.*

– Gilbert, o condutor é o vento!

Se eu pudesse captar o vento para fazer girar as pás de um moinho de vento e rodar os ímãs em um dínamo, poderia gerar eletricidade. E, se ligasse um fio metálico ao dínamo, poderia transmitir energia a qualquer coisa, especialmente uma lâmpada.

Um moinho de vento era tudo de que eu precisava para ter luz.

Nada mais de lamparinas que nos deixavam com a garganta doendo e tossindo. Com um moinho de vento, poderia ficar acordado em vez de ir para a cama às sete da noite, como todos do Malaui.

Mas, o mais importante, um moinho de vento também podia bombear água. Com a maioria do povo do Malaui ainda sofrendo as consequências da fome, uma bomba de água poderia fazer maravilhas. Em casa, tínhamos um pequeno poço, que minha mãe usava para tirar água para a limpeza. A única maneira de tirar essa água era com um balde e uma corda. Mas, se eu acrescentasse um moinho de vento para bombear água, poderia irrigar nossos campos.

Meu Deus, pensei. *Poderíamos colher duas vezes por ano.*

Enquanto todos no Malaui continuassem faminto, durante dezembro e janeiro estaríamos fazendo nossa segunda colheita de milho. A bomba também permitiria que minha mãe tivesse uma horta o ano inteiro para cultivar batata, mostarda e grãos de soja – tanto para comer quanto para vender no mercado.

Comecei a ficar excitado.

– Nada mais de pular o café da manhã, Gilbert. Nada mais de largar a escola!

Com um moinho de vento, finalmente estaríamos livres da escuridão e da fome. Um moinho de vento significava mais do que energia. Era a liberdade.

– Gilbert, vou construir um moinho de vento.

Nunca tinha tentado nada como isso antes. Mas sabia que, se alguém fora capaz de construí-los na Europa e na América, eu com certeza poderia construir um no Malaui.

Gilbert sorriu.

– Quando começamos?
– Hoje.

Na minha cabeça, eu podia imaginar o moinho de vento que queria construir. Mas, antes de tentar algo tão grande, quis experimentar um modelo menor. Precisava dos mesmos materiais: as pás, um eixo e um rotor, fios e algo como um dínamo ou um pequeno motor para gerar eletricidade com as pás giratórias.

Geoffrey e eu tínhamos usado garrafas de água de tamanho normal para nossos cata-ventos, mas agora eu precisava de algo mais forte. De volta à minha casa, comecei a procurar e encontrei a coisa certa. Era um recipiente vazio de loção para o corpo que minhas irmãs usavam para jogar críquete. Era de plástico e tinha a forma de um tubo de margarina, com uma tampa de rosca. Perfeito. Deixando a tampa intacta, removi o fundo com uma serra, cortei os lados em quatro pedaços e os abanei como se fossem pás.

Fiz um furo no centro da tampa e preguei ali uma estaca de bambu, que enterrei no chão atrás da cozinha. Foi então que percebi que as pás eram curtas demais para captar o vento. Precisava fazê-las mais longas.

Na nossa aldeia, tomávamos banho em uma cabaninha de palha aberta no topo e costumávamos instalar canos de PVC sob o chão para que não inundasse. Não muito antes, o banheiro de tia Chrissy tinha sido destruído por uma tempestade, de modo que eles tinham construído outro ao lado. O velho ainda estava ali, e eu sabia que havia canos enterrados sob os destroços. Depois de uns vinte minutos cavando, consegui encontrá-los. Serrei um pedaço grande e o cortei ao meio de cima a baixo.

De volta à cozinha de minha mãe, aticei o fogo até os carvões ficarem em brasa e então segurei o cano em cima do calor. O plástico começou a se deformar até derreter. Logo estava macio e fácil de curvar, como folhas de bananeira molhadas. Antes que esfriasse e endurecesse, coloquei o cano no chão e achatei-o com uma chapa de ferro. Usando a serra, esculpi quatro pás, cada uma de vinte centímetros de comprimento.

Mais uma vez, como não possuía as ferramentas adequadas, tive de improvisar. Dessa vez, precisei de uma furadeira. Procurando em meu quarto, encontrei um prego comprido e o levei para a cozinha.

Primeiro, enfiei a ponta num sabugo de milho para criar um cabo e depois coloquei o prego sobre os carvões. Quando ele ficou incandescente, fiz furos nas lâminas de plástico. Usei um pedaço de fio para amarrá-las à garrafa, mas não tinha um alicate para prendê-las firmemente. Em vez disso, usei dois raios da roda de uma bicicleta.

Foi quando minha mãe me descobriu.

– Que bagunça é essa na minha cozinha? – ela disse. Se havia uma coisa que ela detestava era as crianças bagunçando sua cozinha. – Tire esses brinquedos daqui.

Tentei lhe explicar meu plano de construir um moinho de vento para gerar energia, mas tudo o que ela via eram uns pedaços de plástico deformados e uma vara de bambu.

– Até crianças menores brincam com coisas mais sensatas – ela disse. – Vá ajudar seu pai na lavoura.

– Mas estou construindo uma coisa.

– Que coisa?

– Uma coisa para o futuro.

– Vou lhe dizer uma coisa sobre o futuro! – ela disse, e me expulsou rapidamente pela porta.

Era inútil tentar explicar. Eu agora precisava de um dínamo de bicicleta ou de um motor e não tinha ideia de onde podia encontrá-los.

Naturalmente, eu sabia onde podia *comprar* um dínamo. Um lojista chamado Daud tinha um para vender em sua loja de ferramentas no centro comercial. Eu o tinha visto em uma prateleira meses antes da fome, embrulhado em plástico, tão brilhante e tão inalcançável. Dessa vez, voltei à loja e ele ainda estava lá. Daud sorriu quando me aproximei, de modo que tentei jogar meu charme.

– Belo dia, sr. Daud – eu disse.

– Sim, belo dia.

– E sua família?

– Oh, tudo bem, obrigado por perguntar.

– Digamos, quando custa esse dínamo atrás do senhor?

– Custa quinhentos.

Eu me curvei e lhe dirigi o olhar mais triste que pude encontrar.

– Sim, mas o senhor veja, sr. Daud, não tenho quinhentos.

Ele riu.

– É, sei como é isso. Vá encontrar o dinheiro e volte. Ele estará aqui. E, se não estiver, posso encomendar outro.

Eu jamais conseguiria o dinheiro fazendo *ganyu* e talvez uns trabalhinhos aqui e ali. Na verdade, eu tinha ouvido dizer que uns caras estavam ganhando cem kwachas por dia alugando caminhões em uma loja de secos e molhados. Se eu trabalhasse uma semana, podia ganhar um bom dinheiro.

Corri direto para a loja e fui o primeiro a chegar. *Com certeza vou ser contratado*, pensei. Esperei e esperei. A manhã se tornou tarde. O sol estava terrível, e eu tinha esquecido minha garrafa de água. Finalmente, o dono apareceu. Estava indo embora.

– Por que ainda está aqui? – ele perguntou.

– Estou esperando os caminhões.

– Eles vêm todos os dias – ele disse –, menos segunda.

Para meu azar, era segunda.

Naquela noite, em casa, tive outra ideia. O dínamo de bicicleta era o motor ideal para o moinho de vento maior que eu queria construir. Mas, para o modelo de teste, eu poderia usar um gerador muito menor. E eu sabia onde encontrá-lo.

Andei até a casa de Geoffrey e o encontrei no quarto.

– *Eh, bambo*, você lembra onde nós guardamos aquele rádio e toca-fitas internacional?

– Sim, está em algum lugar. Por quê?

— Quero usar o motor dele para gerar eletricidade.

— Eletricidade?

— *Yah*, a partir de um moinho de vento.

Toda vez que Gilbert e eu visitávamos a biblioteca, Geoffrey dizia que estava ocupado demais trabalhando no campo. Para ser honesto, ele não parecia muito interessado.

— Estamos indo para a biblioteca — dizíamos. — Você vem?

— Vá em frente — ele respondia. — Perca seu tempo.

Mas agora, quando lhe falei de minha ideia de construir um moinho de vento que produziria energia — e mostrei a ele o que pretendia construir —, ele viu as coisas de maneira diferente.

— Legal! Onde você teve essa ideia?

— Na biblioteca.

Geoffrey encontrou o toca-fitas debaixo da sua cama, e eu voltei para trabalhar. Minha chave de fenda, nesse caso, era na verdade um raio de bicicleta que eu tinha martelado contra uma pedra. Não era bonita, mas funcionava para remover os parafusos do rádio.

Depois de espiar lá dentro e lhe dar umas sacudidas, removi a fita cassete do *deck* e encontrei o motor. Tinha metade do comprimento de meu dedo indicador e a forma de uma pilha AAA. Uma pecinha curta de metal se projetava do topo, como uma haste. Ligada a ela havia uma rodinha de cobre que girava os ímãs e dava ao rádio sua energia.

Usando um pouco do fio, liguei o motor ao moinho de vento. Minha ideia era que a tampa da loção corporal movimentasse a roda de cobre enquanto girava — como duas engrenagens em movimento. Entretanto, quando girei a tampa, ela escorregou no cobre. Precisava de algum atrito para fazer as engrenagens travar.

— Precisamos de um pouco de borracha — eu disse a Geoffrey.

— *Yah*, mas onde vamos encontrá-la?

— Não sei.

— Que tal num par de sapatos?

— Agora você está usando a cabeça.

A borracha de nossos chinelos estava muito porosa e não parecia durável. Então, partimos para outra: todo mundo no Malaui usava sandálias de dedo. Precisávamos de uma borracha especial, do tipo que havia nas sapatilhas usadas pela maioria das mulheres em Wimbe. Só havia um problema: uma empresa chamada Shore Rubber estava percorrendo as aldeias recolhendo sapatos velhos para reciclar e fabricar novos. Ofereciam meio quilo de sal por par, o que a maioria das mulheres aceitava. Imaginei se seria possível encontrar sapatos usados. Mas valia tentar.

Durante o dia todo, Geoffrey e eu vasculhamos pilhas de lixo por Masitala e Wimbe, procurando esses sapatos. Finalmente, depois de peneirar montes de cascas de amendoim, cascas de banana e latas velhas enferrujadas, Geoffrey mostrou um sapato.

Um sapato.

— *Tonga*!

A sapatilha preta tinha ficado enterrada tanto tempo que estava cinza e coberta de sujeira. Cheirava a pele de bode.

— Bom trabalho, companheiro! — eu disse.

Usando minha faca, esculpi cuidadosamente uma peça em forma de O na borracha, suficientemente pequena para deslizar sobre a roda de cobre do motor. Demorei mais de uma hora para fazer isso, mas consegui encaixar direitinho as duas engrenagens.

O passo seguinte era testar o motor para ver se ele produzia corrente.

Geoffrey começou a girar a pás com a mão, e eu peguei dois fios do motor e toquei com eles a minha língua.

— Sente alguma coisa? — ele perguntou.

— *Yah*, cócegas.

— Bom, então funciona.

Agora a pergunta era: o que devemos energizar usando este pequeno moinho de vento? Decidimos que seria o rádio favorito de Geoffrey, um velho Panasonic que ele ouvia enquanto trabalhava no campo. Geoffrey amava a música de Billy Kaunda, e às vezes eu até o pegava dançando entre as fileiras do milharal.

Segurei o moinho de vento enquanto Geoffrey tirava a tampa da bateria do Panasonic e removia as pilhas. Usando meu conhecimento dos livros, presumi que, como o rádio funcionava com baterias, seu motor produzia corrente direta, DC, o que significava que poderíamos conectar os fios diretamente aos terminais positivo e negativo do rádio. Geoffrey enfiou os fios para dentro e em seguida torceu-os para que se conectassem com as cabeças.

– O que fazemos agora? – ele perguntou.

– Esperamos que o vento gire as pás.

No momento em que eu estava dizendo isso, o vento começou a soprar. Minhas lâminas começaram a girar, e a roda começou a rodar.

O rádio estalou e assobiou, e de repente ouviu-se música!

Era minha banda favorita, os Missionários Negros, na Rádio Dois, cantando sua grande canção, "Fomos escolhidos... como Moisés".

Eu pulei tão alto que quase desconectei os fios.

– Você ouviu isso? – gritei. – Conseguimos! Funciona de verdade!

– Finalmente! – Geoffrey disse.

– Agora vou crescer ainda mais. Superpoderes!

O sucesso do meu pequeno moinho de vento me deu confiança para tentar uma máquina ainda maior, e comecei fazendo uma lista de materiais. Eu ainda usaria tubos de PVC para as pás, embora precisasse de peças muito mais longas. As lâminas teriam que ser anexadas a um rotor, que precisava ser algum disco de metal plano. Além disso, eu precisaria de um eixo para fazer tudo girar.

A melhor coisa em que pude pensar foi no suporte inferior de uma bicicleta. O suporte – ou *gav*, como o chamávamos – é o que prende os pedais da bicicleta à pedaleira e gira a corrente para acionar a roda traseira. Mas, nesse caso, eu substituiria os pedais pelas pás. Quando a roda traseira girou, eu tinha um dínamo conectado para gerar a energia. Basicamente, eu ia içar uma bicicleta no ar como uma bandeira para pegar o vento. Só imaginar isso me fez rir.

Mas é claro que nada disso mudou o fato de que eu ainda não tinha dinheiro para comprar materiais. Assim como com o modelo menor, tive que encontrá-los sozinho.

No mês seguinte, acordei cedo e fui procurar peças de moinho de vento como se estivesse explorando um tesouro. O melhor lugar que eu conhecia era uma velha plantação de tabaco do outro lado da escola Kachokolo. A garagem abandonada e o ferro-velho estavam cheios de peças de máquinas e carcaças despojadas de carros e tratores, todos esquecidos e enferrujados. Gilbert e eu costumávamos brincar por lá, mas nunca tínhamos muita utilidade para o lixo.

Agora eu estava voltando para o pátio com uma missão. Parti uma manhã, atravessando colinas e riachos, percebendo como a terra não havia mudado muito desde o fim das chuvas. A grama ainda estava alta e começava a escurecer, mas o milho nos campos era alto e verde. Logo estaríamos colhendo, e nossos problemas acabariam, pelo menos por aquele ano.

Na escola, entrei na plantação e parei na entrada do ferro-velho. Agora que eu tinha um propósito real e um plano, percebi quanto tesouro havia diante de mim: velhas bombas de água, aros de trator com metade do meu tamanho, filtros, mangueiras, canos velhos e arados.

Várias carcaças jaziam alvejadas pelo sol, além de dois tratores abandonados. Eles não tinham pneus ou motores, apenas caixas de câmbio enferrujadas. Dentro dos táxis, o vidro do painel de instrumentos fora arrancado, mas os volantes, a embreagem e os pedais ainda estavam intactos. Além do som da grama balançando ao vento, o ferro-velho estava em silêncio, e eu estava deliciosamente sozinho.

Na primeira tarde, descobri uma grande ventoinha de trator – o formato perfeito para meu rotor. Eu poderia aparafusar as lâminas de PVC diretamente nas lâminas de metal da ventoinha. Nesse mesmo dia, encontrei um amortecedor gigante, que bati contra um bloco do motor para arrancar a carcaça. Dentro havia um longo pistão – o eixo ideal para o moinho de vento.

Eu precisava de algum tipo de rolamento de esferas para conectar o amortecedor e o *gav* e reduzir o atrito. A fim de encontrar um do tamanho certo, usei um pedaço de corda como fita métrica e medi todos os vários eixos com rolamento anexado. Depois de três dias, encontrei a combinação certa em uma velha máquina de moer amendoim. Usei uma mola enferrujada para soltar o rolamento e descobri que ele estava em perfeitas condições.

O único problema com o ferro-velho é que ele se situava bem em frente à escola Kachokolo, onde eu deixara um pedaço do meu coração. A escola estava vazia até os alunos voltarem, o que ocorreria em poucas semanas. Pude olhar pelas janelas. Por um breve momento, eu me imaginei de volta à minha carteira.

– Cuidado – eu disse. – Seu homem Kamkwamba em breve estará de volta.

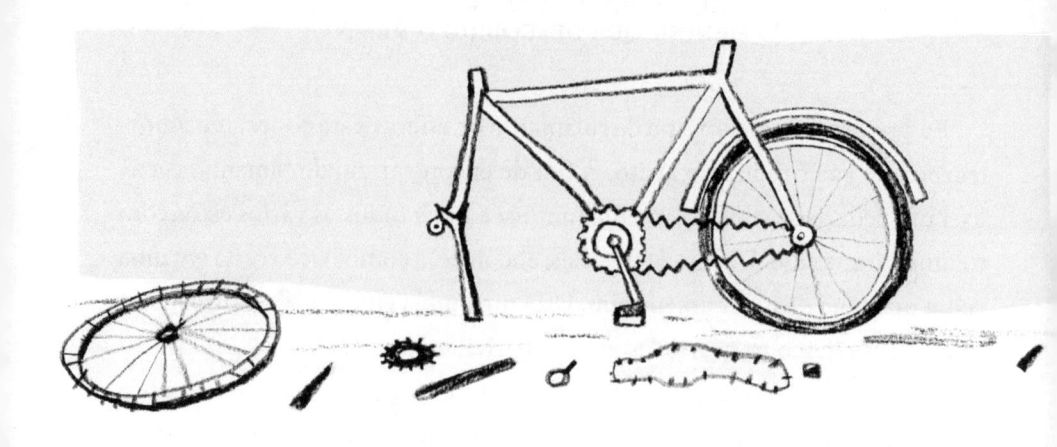

Tempo de colheita

A única razão pela qual eu estava esperançoso de voltar para a escola foi que meu pai conseguiu colher um pequeno lote de tabaco. Ele guardara as sementes do ano anterior, e em setembro amamentei as mudas no *dambo* antes de transferi-las para nossos campos. De alguma forma, as plantas sobreviveram à maior parte da fome e cresceram razoavelmente saudáveis – as folhas marrom-claras com traços de vermelho. Várias semanas antes, Geoffrey e eu tínhamos colhido o tabaco e o pendurado para secar sob o abrigo de bambus.

Em um ano normal, uma safra tão forte alcançaria um alto preço no leilão em Lilongwe. Mas agora, com a fome, não podíamos ter certeza de nada. Além disso, meu pai já havia pedido dinheiro emprestado e milho em troca da futura colheita do tabaco, o que significava que, assim que as folhas estivessem secas, teríamos que começar a pagar nossas dívidas.

À medida que o primeiro dia de aula se aproximava, eu começava a ver sinais de que as coisas estavam bem. Por um lado, meu pai não me disse nada sobre ficar em casa por falta de pagamento. Na verdade, uma tarde ele até me deu alguns kwachas para comprar caderno e lápis. E minha mãe comprou uma grande barra de sabonete Maluwa, o que finalmente me permitiu esfregar as manchas amareladas da minha camisa da escola.

Na noite anterior ao grande dia, passei cuidadosamente a ferro minhas roupas e as coloquei em uma cadeira, bem ao lado do meu material escolar, de modo que estivessem prontos para a manhã seguinte. Estava tão nervoso que fiquei acordado por horas tentando imaginar cada detalhe: o que eu comeria no café da manhã, como ficaria no meu uniforme e como cumprimentaria Gilbert na estrada. Sentia uma falta desesperada de meus amigos e da emoção de uma sala de aula.

Quando Gilbert apareceu entre as árvores na manhã seguinte, corri a seu encontro.

– Gilbert, *bo!*
– *Bo!*
– Certeza?
– Certeza.
– Firme?
– Firme. Bem-vindo de volta, amigo, é bom caminhar com você novamente.
– Oh, obrigado, Gilbert, é bom estar aqui!

Foi ótimo estar de volta com meus amigos, todos os piadistas e artistas habituais. Vi muitos rostos familiares. Todos estávamos magros, o que não mudaria até a colheita. Mas pelo menos nossa saúde estava melhorando.

Mas, assim como eu temia, estava atrasado em tudo: geografia, agricultura, matemática, todas as disciplinas que tinha estudado na biblioteca. Meus colegas já trabalhavam em gráficos e variáveis e nomes científicos de animais. Eu não sabia nenhuma dessas coisas. Lutei nas primeiras duas semanas, copiando todas as anotações que pude, enquanto tentava pegar o jeito das aulas mais uma vez. Já fazia muito tempo e tanta coisa tinha acontecido!

Após dez dias, o prazo para pagamento das taxas escolares se aproximava, e comecei a ficar nervoso. Alguma coisa não parecia certa. Meu pai sabia que minhas taxas eram devidas, mas não tinha mencionado nada. E, temendo o pior, eu não suportava trazer isso à tona. O mais perto que chegamos foi uma breve conversa uma tarde no campo:

— Então, como vai a vida escolar? — ele perguntou.

— Está tudo bem, mas estou muito atrasado. Acho que com o tempo vou alcançar os outros.

— Bem — disse ele —, apenas trabalhe duro.

Apesar de ele ter dito isso, não pude evitar a sensação de mal-estar no estômago. Ainda estava lá pela manhã, quando o sr. Phiri reuniu todos na assembleia matinal.

— As taxas para este período vencem na segunda-feira — disse ele. — E os alunos que não pagaram as taxas do último semestre também devem pagá-las sem demora.

Ei, espere um minuto, pensei. Apesar de ter saído no ano anterior, eu ainda tinha que pagar essas taxas? Não parecia justo. Juntos, os dois períodos equivaliam a mais de dois mil kwachas. Diante do que minha família tinha acabado de passar, dois mil kwachas era uma quantia impossível. Eu sabia que meu destino estava selado.

Mas, em vez de ir para casa para enfrentar a situação, tentei ir para a escola de graça. Entrei sorrateiramente.

Tive que calcular meus movimentos com cuidado. Nas segundas e sextas-feiras, o sr. Phiri realizava a assembleia dentro da sala de aula. Lá ele leu em voz alta todos os nomes dos alunos que já haviam pagado suas taxas, dizendo-lhes: "Vá direto para a classe". Os alunos que ainda estavam sentados tinham que mostrar um recibo ou sair.

Como Geoffrey tinha sido humilhado dessa maneira dois anos antes, eu estava preparado. No primeiro dia de chamada, cheguei à escola com Gilbert, como de costume. Mas, assim que todos foram para a reunião, entrei no banheiro para me esconder. Fiquei abaixado e examinei o pátio através da minúscula janela. No minuto em que o sr. Phiri libertou todos, eu me misturei despercebido ao grupo.

Na aula, sentei no fundo da sala e mantive minha cabeça baixa. Não fiz perguntas por medo de ser notado. Enquanto eu estivesse em silêncio, pensei, poderia ouvir e aprender. Eu tinha certeza de que o sr. Tembo conhecia meus truques e se lembraria de que fui excluído no semestre anterior por falta de pagamento. Mas, se sabia, nunca me chamou.

Toda a experiência foi tão estressante que todas as manhãs eu acordava com a mesma terrível dor de estômago. Gilbert me encontrava na estrada e tentava fazer com que eu me sentisse melhor.

– Bom dia, amigo. Fico feliz em ver que você está tentando a sorte de novo.

– Sim – eu disse. – Esperemos que hoje não seja o fim.

– Fique quieto e não diga nada.

Finalmente, depois de duas semanas, fui pego.

Uma manhã, o sr. Tembo leu em voz alta o nome dos devedores na classe, e foi quando fui pego. Quando meu nome foi chamado, levantei-me e caminhei para a porta.

– Gente, eu paguei – eu disse, tentando ser legal. – Só esqueci o recibo. Eu vou pegar e volto logo.

Uma vez lá fora, comecei a chorar, fui para casa e dei a notícia a meu pai.

– Eu estava esperando por isso – disse ele. – Só não sabia quando.

Mas, em vez de partir meu coração, meu pai foi ver o sr. Tembo e implorar em meu nome. O tabaco estaria maduro em algumas semanas e, depois de pagar seus credores, meu pai tinha a esperança de que sobrasse o suficiente para vender e pagar minha escola.

– Terei o dinheiro em breve – disse ele. – Por favor, deixe-o ficar.

O sr. Tembo conversou com alguns outros professores, que concordaram em me deixar ficar na escola por mais três semanas, tempo suficiente para meu pai vender o tabaco.

E essas três semanas foram tão fantásticas como ganhar na loteria. Chega de se esgueirar, chega de borboletas no estômago. Pude relaxar, aprender e participar em aula. E, quando a professora contou uma piada, eu ri com a força total da minha voz.

– Oh, isso é tão engraçado! – eu dizia. Ou: – Eu não conhecia essa!

Os outros alunos me lançavam olhares estranhos.

– Nas últimas semanas, ele se mostrava um cara quieto e legal – disse um.

– Mas olhe para ele agora.

Ao fim de três semanas, o tabaco estava finalmente seco e pronto, tendo adquirido um tom chocolate-claro ao sol. Assim que isso aconteceu, os credores começaram a aparecer em nossa casa, querendo ser pagos.

– Vim buscar meus cinquenta quilos – disse um deles.

– Dado nosso acordo anterior, você tem meus vinte quilos? – perguntou outro credor.

Quando o último comerciante saiu empurrando uma bicicleta carregada com o nosso tabaco, tudo o que restou foram sessenta quilos. Meu pai os carregou em uma picape e dirigiu para a empresa de leilões em Lilongwe, onde os compradores só concordaram em ficar com cinquenta quilos. Depois dos custos de transporte e impostos, meu pai voltou para casa com cerca de dois mil kwachas. Foi apenas o suficiente para pagar a minha escola, mas então não sobrou nada para o resto da família: não haveria dinheiro para os sapatos das minhas irmãs, óleo de cozinha, sabão ou remédios se alguém ficasse doente.

Mais uma vez, estávamos falidos.

Meu pai tentou negociar novamente com o sr. Tembo, mas o sr. Phiri proibiu-me de voltar. Disse que seu chefe, o ministro da Educação, estava visitando várias escolas para garantir que os alunos estavam pagando as taxas.

– Se formos pegos, podemos perder nosso emprego – disse o sr. Tembo.

Eu estava sentado no pátio quando meu pai voltou com as notícias.

– Fiz o meu melhor – disse ele –, mas a fome levou tudo.

Ele se ajoelhou para me encarar.

– Por favor me entenda, filho. *Pepani, kwa mbiri*. Sinto muito. Seu pai tentou de verdade.

Foi muito difícil olhar para ele.

– *Chabwino* – eu disse. – Eu entendo.

Pelo menos com as filhas, um pai do Malaui pode ter esperança de que elas se casem com um marido que possa lhes oferecer casa e comida e ajudá-las a continuar seus estudos. Mas com um menino era diferente. Minha educação significava tudo para o meu pai. Naquela noite, ele disse à minha mãe que tinha falhado com seu único filho.

– Hoje decepcionei toda a minha família – disse ele.

Eu não poderia culpar meu pai pela fome ou por nossos problemas. Mas, por toda a semana seguinte, eu ainda não conseguia encará-lo. Sempre que o fazia, via o resto da minha vida.

Meu maior medo estava se tornando realidade: eu acabaria como ele, outro agricultor pobre malauiano cavando o solo. Magro e sujo, com mãos ásperas como madeira e pés que não conheciam sapatos. Minha vida seria para sempre controlada pela chuva e pelo preço do fertilizante e das sementes – nunca por mim. Eu plantaria milho e, se tivesse sorte, talvez um pouco de tabaco. E, em anos em que as colheitas fossem boas e houvesse um pouco mais para vender, talvez eu pudesse comprar uma roupa nova. Mas, na maioria das vezes, dificilmente haveria o bastante para comer. Meu futuro tinha sido decidido, e pensar nisso me assustou tanto que quase fiquei doente. Mas o que podia fazer? Nada, a não ser aceitar.

Não tive tempo para sentir pena de mim. O milho finalmente estava maduro, e meu pai precisava de toda a nossa ajuda. Por mais que eu tivesse esperado por essa hora, entrei na colheita com um coração em conflito. Agora que eu sabia que não iria para a escola, as fileiras de milho pareciam as barras de minha prisão. Eu entraria em suas sombras, e os portões se fechariam atrás de mim.

No entanto, ao mesmo tempo, meu Deus, estávamos finalmente colhendo nossa comida.

E, realmente, a colheita era a época mais divertida do ano, ainda melhor que o Natal. Era hora de comemorar todo o trabalho duro, todas as manhãs em que acordamos às quatro da manhã para cavar cristas e arrancar ervas daninhas. Mas, nesta temporada, foi ainda mais significativa: um momento para lembrar a fome e as boas pessoas em todo o Malaui que não sobreviveram. Principalmente, pensei em Khamba e na tristeza que carreguei dentro de mim.

E agora, quando entramos nas fileiras de milho, prontos para trabalhar, era como se Deus estivesse nos recompensando por nosso sacrifício. Tínhamos uma bela colheita.

– A melhor em anos – disse meu pai. – Basta olhar para ela.

Minha mãe estava ao lado dele, olhando para os campos com um sorriso que eu não via há meses.

– Depois de tudo, conseguimos – disse ela.

Nas duas semanas seguintes, colhemos o dia todo com a mente satisfeita e à noite dormíamos como leões de barriga cheia. Depois de coletar as espigas e transportá-las para casa em carro de boi, passamos três semanas gloriosas apenas sentados no pátio, debulhando o que tínhamos cultivado. Ouvíamos rádio, cantávamos canções, falávamos sobre o tempo. A vida tinha voltado ao normal.

No galpão de armazenamento, nossas sacas de grãos estavam cheias de novo – e eram tantas que chegavam ao teto e se espalhavam para fora. Os grãos de soja da horta também estavam maduros, o que significava que podíamos desfrutar de refeições regulares. Lentamente, todo o peso que tínhamos perdido durante a fome começou a voltar.

– Sim, papai – minha mãe disse a meu pai uma noite –, vocês estavam parecendo muito magros.

Meu pai sorriu.

– E você, mamãe, vejo que você está finalmente voltando para nós. Mas William, *eh*, eu estava muito preocupado que um vento forte levasse esse menino embora.

Todos nós rimos, porque é apenas nos bons momentos que podemos falar a verdade sobre os maus.

Assim que a colheita acabou, pude voltar para o ferro-velho para coletar peças para meu moinho de vento. Caminhando pela grama alta, vi algo interessante. *Que diabos é isso?*, pensei, apenas para detectar algo ainda melhor um segundo depois.

Um dia, quando arrancava ervas daninhas, descobri o que parecia um diferencial com tração nas quatro rodas – as engrenagens que enviam energia para as rodas e permitem que o veículo rode. Consegui arrancar o invólucro com minha chave de fenda e descobri gotas de graxa preta de motor. *Toda máquina precisa de graxa*, pensei. Coloquei aquilo em um saco plástico e o enfiei no bolso.

Naquele mesmo dia, encontrei um punhado de contrapinos restantes dentro de uma calota descartada. Coletei pedaços de arame, além de algumas coisas que provavelmente nunca usaria – pedais de freio, uma alavanca de câmbio e o virabrequim de um pequeno motor. Levei-os para casa de qualquer maneira.

Logo percebi que uma das minhas peças maiores e mais importantes – uma bicicleta – estava sob meu teto desde o início. A bicicleta quebrada do meu pai estava encostada na parede da sala por mais de um ano, juntando poeira e roupas sujas. Não tinha guidão, apenas uma roda, e sua estrutura estava tão enferrujada quanto qualquer outra no ferro-velho. Eu tinha me oferecido para consertá-la muitas vezes, mas meu pai sempre me dava a mesma resposta:

– Não tenho dinheiro.

Um dia, finalmente reuni coragem para perguntar a ele se poderia usá-la para meu moinho de vento. Sentei-me com ele e lhe expliquei todo o processo, como o quadro da bicicleta seria o corpo perfeito e suficientemente robusto enfrentar ventos fortes. Descrevi como o vento e as pás atuariam como pedais para girar a roda e alimentar o gerador.

– Eletricidade! – eu disse, abrindo os braços como um mágico. – Água!

Meu pai apenas balançou a cabeça.

– Filho, por favor, não quebre minha bicicleta. Já perdi tantos rádios... Além do mais, um dia vamos usar isso.

Usar para quê?, pensei. Para pedalar oito quilômetros para comprar querosene para as lanternas que nos fazem mal, quando você poderia ter luzes de graça? Oh, levei um tempão para convencer meu pai a desistir daquele pedaço de lixo! Devo ter implorado por uma hora.

–Tenho um plano! – insisti. – Deixe-me tentar. Pense, poderíamos ter luzes! Poderíamos bombear água e ter uma colheita extra! Nunca mais ficaremos com fome.

Ele considerou isso por um tempo e finalmente cedeu.

– Tudo bem, talvez você esteja certo. Mas, por favor, não bagunce tudo.

Peguei a bicicleta e corri para o meu quarto, onde a encostei na parede com meus outros materiais. Dando um passo atrás, percebi que meu quarto ficou parecido com o ferro-velho. Todas as minhas peças do moinho de vento

– a bicicleta, a ventoinha do trator, o amortecedor e os rolamentos colocados em uma fila perfeita, como em um museu.

O resto do chão, porém, estava coberto de manchas gordurosas que tinham se derramado para debaixo da cama e se juntado atrás da porta. O quarto cheirava como o interior de uma oficina. *Você nunca sabe do que pode precisar*, pensei.

Claro que proibi minhas irmãs de entrar no meu espaço para varrer e esfregar. Eu tinha certeza de que elas não sabiam o valor de uma braçadeira de silenciador ou bomba de água usada. Quem sabe o que elas poderiam varrer para a lata de lixo?

– Mas mamãe nos disse para limpar! – elas gritaram pela porta.

– Eu direi quando for a hora – respondi. – Estou ocupado.

Quando não estava no ferro-velho, eu ficava na biblioteca ou na minha rede, lendo. A essa altura, meu pai se sentia tão mal com minha impossibilidade de ir à escola que não me obrigava a trabalhar no campo. Isso deixou minhas irmãs com ciúmes.

– Por que William fica em casa, e nós, não? – Doris perguntou a meu pai um dia. – É porque ele é um menino e nós somos meninas? Se ele vai ficar em casa, nós também vamos!

– William tem um projeto – disse meu pai. – E, se ele estiver realmente perdendo tempo, acabará descobrindo que estava errado. Vocês, meninas, só se preocupam com vocês.

Com a bênção do meu pai, passei manhãs e tardes planejando meu moinho de vento. Dediquei-me aos capítulos sobre eletricidade em *Explicando a física*. Aprendi como ela se move e se comporta e como pode ser aproveitada. Revisei seções sobre fiação doméstica, circuitos paralelos *versus* circuitos em série e mais coisas sobre correntes AC e DC. De volta à biblioteca, renovei o empréstimo dos mesmos três livros repetidamente, até que um dia a sra. Sikelo ergueu a sobrancelha.

– William, você ainda está se preparando para os exames? O que você está fazendo?

– Só estou construindo uma coisa – eu disse. – A senhora vai ver.

O MENINO QUE DESCOBRIU O VENTO

De tanto ir para o ferro-velho, ele começou a substituir a escola em minha mente. Era um ambiente onde eu aprendia algo novo a cada dia. Via materiais estranhos e estrangeiros e tentava imaginar seu uso. Uma coisa parecia um compressor antigo, ou talvez fosse uma mina terrestre. Achei compressores de verdade e os sacudi para ouvir o barulho das peças lá dentro. Depois eu os abriria e investigaria. Minha imaginação não parava de trabalhar.

Às vezes eu fingia ser um grande mecânico, engatinhando de costas sob os carros enferrujados com a grama alta me envolvendo. Eu gritaria para o cliente.

– Dê a partida! Vamos ver como o motor soa. Acelere, não seja tímido! *Rom, rom, rom!* Isso é demais!

Se o motor não soasse bem, eu lhe diria:

– Parece que precisa de uma revisão. Eu sei, eu sei, é caro, mas é a vida.

E gritava para meus outros mecânicos, que estavam descansando como de hábito.

– Phiri, hoje você vai fazer as trocas de óleo!

– Sim, chefe!

Outro mecânico se aproximava, balançando seguidamente a cabeça. Problemas novamente.

– Sr. Kamkwamba, chefe, não conseguimos consertar este carro. Tentamos tudo, mas ainda faz barulho. O que o senhor acha?

– Dê a partida. Hum… sim…. Hum. Bomba injetora.

– Obrigado, senhor!

– De nada.

Subia nos tratores, apertava o botão de ignição com o pé e fingia dirigir.

– Fora do meu caminho! Seu homem Kamkwamba precisa trabalhar!

Em minha mente, cavei cristas em meu campo, compensando todos os dias em que usei uma enxada sob o sol. A cada vez, desejei que um desses tratores realmente se movesse. Se isso acontecesse, eu arrastaria todo o ferro-velho para casa.

Mas não importa o quanto me diverti, meu bom humor não durou muito. Os alunos do outro lado da rua em Kachokolo poderiam me ver bater em várias coisas. Se não tivesse cuidado, podiam até me ouvir falar sozinho. Algumas vezes, enquanto carregava minhas peças, alguma criança no recreio gritou:

– Ei, olhem, é William, cavando o lixo de novo!

Na primeira vez que aconteceu, eu me aproximei e tentei explicar o moinho de vento, mas as crianças apenas riram. Até quando eu tentava passar despercebido, alguém me avistava através da janela aberta e gritava:

– Lá se vai o louco, indo fumar sua *chamba*!

Chamba é maconha.

Felizmente, tive uns poucos apoiadores. Mas Geoffrey tinha sido contratado por nosso tio Musaiwale para trabalhar no moinho de milho em Chipumba, o que significava que Gilbert era a única pessoa em quem eu podia confiar. Finalmente decidi que sempre que alguém gritasse: "William, o que você está fazendo no lixo?", eu apenas sorriria e não diria nada.

Claro que os alunos de Kachokolo falaram a seus pais sobre do lunático no ferro-velho, e logo minha mãe estava sabendo do que diziam no centro comercial. Agora, quando eu voltava para casa com minhas peças, ela me olhava e balançava a cabeça. Um dia ela invadiu meu quarto, parecendo preocupada.

– O que está acontecendo com você? – ela disse. – Seus amigos não se comportam dessa maneira. Quero dizer, olhe para este quarto! Parece o quarto de um louco. Só os loucos coletam lixo.

Naquela noite, ela reclamou com meu pai:

– Desse jeito ele nunca vai encontrar uma esposa. Como ele vai cuidar de uma família?

– Deixe o menino em paz – disse meu pai. – Vamos esperar e ver o que ele tem na manga.

Nas semanas seguintes, os tesouros continuaram se revelando peças de um quebra-cabeça mágico. Quando percebi que precisava de mais PVC, Gilbert me permitiu desenterrar um cano do chão de seu banheiro. Ele nem se incomodou em pedir permissão ao pai, que não ficou feliz na manhã seguinte.

Quando o cano estava limpo e seco, cortei-o ao meio com minha serra. Eu o derreti sobre o fogo até ficar curvo, depois o endireitei e bati nele até ficar plano. Em seguida, cortei quatro lâminas, cada uma medindo mais de um metro de comprimento.

Eu queria ir em frente e conectar as lâminas à ventoinha do trator, mas não tinha porcas e parafusos. Passei os quinze dias seguintes no ferro-velho revirando todas as máquinas e peças de metal. Mas eu só tinha uma chave inglesa, e era grande demais para a maioria dos parafusos que encontrei. Vários estavam tão enferrujados que se soltavam ou se recusavam a se mover.

Uma tarde contei essa história patética para Gilbert, e ele imediatamente se ofereceu para ajudar. Seu pai às vezes lhe dava dinheiro por trabalhar em seus campos. Naquele dia, Gilbert foi até a loja do sr. Daud com cinquenta kwachas e comprou um saco cheio de porcas e parafusos – todos do tamanho perfeito para o meu moinho de vento. Fiquei muito grato a ele.

Mas eu ainda tinha um problema: as peças de metal precisavam ser soldadas juntas, para garantir que aguentariam. Nós não tínhamos uma máquina de solda em casa, e contratar um soldador custaria mais dinheiro. Eu estava paralisado novamente.

Então um dia, no centro comercial, tive sorte. Estava jogando *bawo* com alguns amigos quando um homem saltou de um caminhão basculante. Ele era de Kasungu e precisava de meninos para ajudá-lo a descarregar madeira.

– Vou pagar duzentos kwachas pelo trabalho – disse ele.

Corri, acenando com os braços.

– Eu aceito, eu aceito!

Ele me fez sinal para subir na caçamba do caminhão junto com outros dez rapazes. Passei a tarde toda carregando toras sob o sol – cansado, suado e com o maior sorriso no rosto.

Com duzentos kwachas, eu poderia pagar um soldador para a primeira fase do trabalho: conectar o eixo do amortecedor ao suporte inferior da bicicleta. Desse jeito, eu poderia girar a pedaleira e a corrente e mover a roda. Eu também precisava que ele fizesse buracos nas lâminas de metal da ventoinha do trator, para que eu pudesse aparafusar as lâminas de PVC maiores.

A loja do sr. Godsten ficava no centro comercial, sob um abrigo coberto de capim. Ele usava uma caixa de solda elétrica de madeira e de aparência antiga, que ligava na parede de sua casa com um cordão longo e remendado. Uma multidão de pessoas geralmente se reunia para vê-lo soldar, eu incluído. Os homens discutiam aquele determinado projeto enquanto os meninos brincavam na chuva de faíscas que disparava de sua arma.

Mesmo eu tendo dinheiro para o trabalho, Godsten riu quando entrei carregando minhas peças.

– Você quer que eu solde um amortecedor quebrado em uma bicicleta com uma roda? – ele perguntou, zombando de mim. Outros se juntaram a ele.

– Ah, olhem, o louco veio com seu lixo. Ouvimos falar de você.

– *Eh*, ele não é um homem, apenas um menino preguiçoso que só quer brincar e se recusa a trabalhar. Ele é *misala*.

Isso significa louco. Meu rosto ficou quente. Eu estava tão cansado de ouvir essas palavras!

– Isso mesmo – eu disse. – Sou preguiçoso, *misala*, seja o que for, mas tenho um plano e sei o que estou fazendo. Logo todos vocês verão.

Eu então me virei para Godsten e dei a ele um olhar feroz.

– E, para responder à sua pergunta, senhor – eu disse –, você me ouviu direito: solde o amortecedor na bicicleta. E certifique-se de que não esteja torto.

Quando Godsten terminou, eu lhe paguei e levei a bicicleta para casa. Eu a devolvi ao seu lugar em meu quarto e comecei a rir. Realmente parecia criação de um louco: o amortecedor projetava-se da pedaleira como um estranho braço robótico, suas juntas fundidas com metal derretido. Próximas a ela, minhas lâminas encostadas na parede como asas de inseto gigantes, suas superfícies brancas chamuscadas como um *marshmallow* queimado. A ventoinha do trator parecia um atleta chinês fazendo estrela – uma daquelas capazes de cortar a escuridão deixando um rastro de luz.

Eu mal podia esperar para juntar tudo aquilo.

Mas, mais uma vez, estava faltando alguma coisa, e era uma grande coisa. Eu precisava de um gerador. Mas onde no mundo eu ia encontrar uma coisa tão cara? Eu poderia esperar e tentar ganhar quinhentos kwachas para comprar o gerador loja de Daud, mas isso poderia levar uma eternidade. O dono de uma loja de secos e molhados havia contratado uma equipe permanente de trabalhadores para descarregar seus caminhões, e trabalhos de carregamento de madeira não eram frequentes.

Então, voltei ao ferro-velho.

Passei as três semanas seguintes vasculhando a grama como um cachorro farejador de bombas, revirando cada pedaço de metal na esperança de descobrir um gerador que eu talvez não tivesse visto. Ou pelo menos um alternador. *Eu não tinha visto vários deles?* Bem, descobri que eu não era o único que procurava essas coisas. Alguns meninos mais novos do centro comercial também tinham descoberto a importância dos motores elétricos. Mas, em vez de usá-los para a ciência, eles só removiam os fios para construir caminhões de brinquedo.

Um dia, quando entrei no pátio, eu os peguei.

– Ei, vocês! – gritei, mas eles saíram correndo. Talvez tivessem ouvido histórias sobre o louco e temido por sua vida. De qualquer modo, quando cheguei aonde eles estavam, encontrei um motor em bom estado despojado de seus fios. Estava lá, morto na grama como um daqueles elefantes caçados, sem presas.

Comecei a temer que meu moinho de vento nunca fosse construído. Pior, no mês seguinte, parecia que todos os geradores no centro do Malaui apareciam para me provocar. Eu os via em toda parte em bicicletas e, na maioria das vezes, quebrados e nem mesmo presos a uma lâmpada. E pensava: *Deus, que desperdício! Dê-me um e eu lhe mostrarei como usá-lo!* Outros funcionavam perfeitamente e lançavam grandes feixes de luz pelas estradas escuras à noite. Nunca tive coragem de avisar os proprietários. O que lhes diria?

Em vez disso, acordava todas as manhãs com aquele monte de metal em meu quarto e ia ajudar meu pai no campo. À noite, as peças do moinho eram mais fáceis de ver, uma vez que tudo desaparecia no escuro.

Em uma sexta-feira de julho, Gilbert e eu estávamos voltando para casa do centro comercial, e eu estava carrancudo.

– Como vai o moinho de vento? – ele perguntou.

– Eu tenho tudo, mas ainda falta o gerador – eu disse. – Se o tivesse, poderia construí-lo amanhã. Estou com medo de esse sonho nunca se tornar realidade.

– Oh, sinto muito, amigo.

Só então vimos um cara empurrar uma bicicleta. Eu não o conhecia, mas ele devia ter mais ou menos a nossa idade. Quando ele passou, olhei para baixo e notei um brilho familiar no pneu.

– Veja – eu disse –, outro dínamo.

Mas dessa vez não tive medo. Corri para o cara e lhe perguntei se podia ver sua bicicleta. Eu me abaixei e dei uma pedala, e, quando fiz isso, o farol se acendeu.

Gilbert se virou para ele.

– Quanto você quer para vender o dínamo? – ele perguntou.

– Não, Gilbert – eu disse. – Não tenho nenhum...

– Quanto? – Gilbert disse novamente.

O cara recusou no início, mas finalmente cedeu. Ninguém era tolo o suficiente para recusar dinheiro naquela época.

– São duzentos kwachas – disse ele –, com a lâmpada.

– Ainda tenho algum dinheiro do meu pai – disse-me Gilbert. – Vamos usá-lo para comprar o dínamo. Vamos terminar o moinho de vento!

Ele enfiou a mão no bolso e tirou duzentos kwachas – duas notas de papel vermelho. Depois de certa confusão para retirar o dínamo e a lâmpada da bicicleta, eu os tinha em minhas mãos.

– *Zikomo kwa mbiri*, Gilbert – eu disse. – Muito obrigado. Você é o melhor amigo que já tive.

Quando Gilbert foi para casa, corri de volta ao meu quarto e coloquei o dínamo com os outros materiais. Era a última peça do quebra-cabeça. Nesse exato momento, uma magnífica rajada de vento abriu minha porta, e um ciclone entrou no quarto. Ele chicoteou as peças do moinho de vento e revelou a máquina acabada, suas pás girando descontroladamente na poeira vermelha. Ou talvez tenha sido apenas um sonho.

Nasce o moinho de vento

Na tarde seguinte, comecei a montar a máquina.

Arrastei a bicicleta, a ventoinha do trator, as lâminas, os parafusos e o dínamo para fora e os arrumei numa fila. Escolhi uma área atrás da cozinha, que fazia as vezes de meu laboratório. A árvore de acácia fornecia muita sombra contra o sol do meio da manhã e era o lugar ideal para pegar os ventos de leste que sopravam do lago sobre as terras altas. A primeira coisa que eu queria fazer era conectar as lâminas à ventoinha do trator. Isso exigia uma furadeira. Então eu fui para a cozinha e enfiei um prego num sabugo de milho e segurei-o acima do fogo. Assim que ele ficou incandescente, perfurei quatro furos na parte superior de cada lâmina de plástico, mais dois no centro. Esse processo de aquecimento, derretimento e reaquecimento levou quase três horas.

Em seguida, esvaziei no chão o saco de porcas e parafusos que Gilbert tinha me dado e comecei a prender a primeira lâmina. Foi quando percebi que tinha esquecido as arruelas.

– Ah! – gritei, frustrado comigo mesmo.

Bem, eu definitivamente precisava de arruelas para prender os parafusos. Então passei a hora seguinte recolhendo tampas de garrafa do lado de fora do

Ofesi Boozing Center. Quando tinha cerca de vinte, corri para casa, martelei-as até deixá-las planas e usei um prego para fazer um buraco no centro delas. Isso. Perfeito.

Um por um, coloquei os parafusos nas arruelas e apertei as porcas, até que todas as quatro lâminas estivessem conectadas. Por último, queria ter certeza de que as lâminas estavam firmes e não quebrariam com um vento forte. Então, como reforço, usei pedaços de bambu de cerca de um metro que funcionariam como ossos.

– Agora tudo bem – eu disse. – Vamos dar uma olhada.

Dei um passo atrás para examinar meu trabalho. De ponta a ponta, a envergadura das lâminas se estendia por mais de dois metros, o que me fez rir de excitação. Foi então que percebi que ao redor tudo estava vazio. Minhas irmãs estavam fazendo recados, e meu pai tinha ido assistir a um funeral em uma aldeia próxima. Além de minhas marteladas, o único outro barulho era minha mãe cantarolando na cozinha enquanto preparava o nosso jantar. O privilégio da privacidade era meu, e entrei em profunda concentração.

O próximo passo era descobrir como conectar tudo à bicicleta, o que não seria fácil. Comecei estendendo as lâminas sobre quatro tijolos altos – como aqueles blocos que o mecânico coloca sob os carros, de modo a ter algum espaço para trabalhar embaixo. Então veio a parte difícil. A bicicleta não era apenas pesada, mas incômoda, especialmente com um amortecedor gigante saindo da pedaleira. Mas consegui levantá-la o suficiente para virá-la e em seguida coloquei o amortecedor no orifício central da ventoinha do trator. Rapidamente, eu me enfiei entre os tijolos e travei um contrapino na outra extremidade, apertando firme.

Por fim, conectei o dínamo ao quadro da bicicleta, de modo que sua roda metálica ficasse contra a parede lateral do pneu. Estiquei a corrente, que foi revestida com graxa preta quente, sobre a pedaleira e certifiquei-me de que ficou firme contra as rodas dentadas.

Quando terminei de ajustar a corrente, o sol estava se pondo atrás das árvores e logo estaria escuro demais para trabalhar. Levei minhas ferramentas de volta ao meu quarto e depois encostei o moinho de vento na parede da cozinha e fora do caminho. Tirei um balde de água do poço, esquentei a água para o meu banho e após o banho fui jantar. Nessa hora, minha irmã Rose voltou das lojas e me viu no pátio.

– William, não vimos você o dia todo – disse ela. – As pessoas no centro comercial estavam perguntando de você.

– Bem, hoje seu irmão esteve ocupado – eu disse.

– Eu disse a eles que você estava ocupado brincando com seus metais para criar energia.

– Algo assim – eu disse, sorrindo. – Espere só. Em breve você terá uma surpresa, junto com todos os outros.

Comi minha ceia como um verdadeiro trabalhador, sem dizer nada, exceto para soltar uns grunhidos bem orquestrados. Quando terminei de comer, voltei para o meu quarto, deitei na cama e adormeci em segundos.

No dia seguinte, acordei com a primeira luz da manhã e pronto para continuar o trabalho.

Meu plano era construir uma torre alta de madeira para o moinho de vento, mas primeiro eu tinha que ver se ele funcionava. Para isso, precisava de algo temporário. Então encontrei um pedaço grosso de bambu, com mais de quinze centímetros de espessura, e fiz um buraco na parte superior. Em seguida, enfiei a outra extremidade na terra.

Terminei bem a tempo de ver Geoffrey chegar em sua bicicleta de Chipumba. Era seu dia de folga, e ele viera me visitar.

– *Eh*, cara, bem na hora – eu disse.

– Este é o mesmo projeto em que você estava trabalhando?

– *Yah*, é isso. Estou feliz que você esteja aqui, amigo. Ajude-me a levantar esta coisa.

Travamos a roda e a corrente da bicicleta para impedir que ela girasse, e então, cuidadosamente, içamos a máquina até o mastro. Como eu não tinha uma corda e a máquina parecia firme, Geoffrey a prendeu usando longas tiras de uma câmara de pneu.

— Podemos? — ele perguntou.

— Podemos.

Geoffrey destravou o pneu para que as lâminas pudessem girar, mas não tínhamos ideia da rapidez com que isso aconteceria. No Malaui, o vento nunca para. Em segundos, as lâminas giravam tão rápido que a corrente se partiu ao meio, e o mastro quase tombou.

— Espere! — gritei.

Geoffrey e eu mal conseguimos pegar a máquina antes que ela caísse no chão e se quebrasse. Quando a agarramos, mudei o mastro de posição e virei as lâminas para fora da direção do vento. Então passei as próximas duas horas fixando a corrente.

O principal motivo do teste era ver se o gerador produzia corrente suficiente. Eu já sabia que poderia dar energia a uma pequena lanterna de bicicleta, mas o que mais? Fui até minha casa e peguei o rádio do meu pai, que me estava proibido, dada a minha história com outros aparelhos eletrônicos da família. Quando voltei, Geoffrey me lançou um olhar desconfiado.

— Seu pai sabe que você está pegando isso emprestado? — ele perguntou.

— Ele está no centro comercial. Nunca vai saber disso.

Enfiei os dois fios do gerador na tomada AC do rádio, e Geoffrey destravou as pás do moinho de vento. Elas começaram a girar, assim como a roda de metal do gerador contra o pneu, que também girava. Por um breve momento, ouvi música. Funcionou! Mas, um segundo depois, uma fumaça preta começou a sair pelos alto-falantes.

—Ah, não! — Geoffrey disse, e arrancou os fios. O rádio estava caído no chão, chiando como um ovo.

Ele se virou, procurando por meu pai, mas eu estava excitado demais para me preocupar.

— Você viu quanta energia? — gritei, dando pulos de alegria. — Você viu isso?

O rádio tinha explodido porque o gerador também tinha produzido muitos volts de eletricidade. Como aprendi em meus livros, voltagem é a medida da tensão elétrica. É como a pressão da água saindo de uma mangueira. O dínamo produzia doze volts quando alguém pedalava normalmente. Isso era suficiente para fazer um rádio ou uma lâmpada funcionar. Mas, quando o vento soprou e girou as lâminas como loucas, causou uma oscilação de energia que aumentou a voltagem, e eu fritei o rádio do meu pai. Eu tinha que descobrir como reduzi-la.

Folheei *Explicando a física* e encontrei o diagrama de duas lâmpadas separadas, ambas acesas a partir de uma corrente AC de doze volts – exatamente como o meu gerador. As duas lâmpadas estavam conectadas por fios longos. Uma lâmpada queimou com um brilho forte, tudo por causa de algo chamado de transformador, que aumentou a voltagem. Mas a segunda lâmpada não tinha transformador e mostrava uma cor escura e amarela. Isso porque, sem o transformador, a energia se perdia na forma de calor ao longo de sua jornada através dos fios – algo chamado dissipação.

– Sr. Geoffrey – eu disse –, já que é possível perder energia nos fios ao viajar longas distâncias, talvez possamos tentar isso no dínamo.

Procurei em nossa grande pilha de peças de rádio e encontrei um antigo motor. Eu o abri, removi o núcleo e desenrolei o longo fio de cobre. Em seguida, eu o enrolei em uma vara, criando meu próprio tipo de transformador reverso. Liguei uma ponta do fio no dínamo e a outra ponta no rádio do meu pai, que de alguma forma conseguiu sobreviver à oscilação de energia. Assim como no livro, eu estava dando à eletricidade uma longa estrada a percorrer, imaginando que parte de sua voltagem se perderia no caminho.

– Tudo bem, tente de novo – eu disse a Geoffrey. Ele desbloqueou as lâminas, e a roda e o dínamo começaram a zumbir. Dessa vez, ouviu-se apenas música. Nosso teste estava concluído.

O moinho de vento ficou no mastro de bambu por dois dias, escondido atrás da casa e fora de vista. Enquanto isso, Geoffrey, Gilbert e eu começamos a construir uma torre de verdade. Uma manhã, nós nos encontramos na frente da minha casa com nossos facões *panga* e entramos no bosque de eucaliptos.

Era o mesmo bosque onde eu tinha aceitado a magia de Shabani apenas para ser derrotado naquele dia em Dowa. E agora era onde eu ia construir minha escada para a ciência.

Caminhamos pela floresta, olhando atentamente para cada árvore. Finalmente, escolhemos uma que tinha cerca de cinco metros de altura. Atacamos o tronco com nossos facões e, dez minutos depois, a árvore caiu. Usamos nossos *panga* para podar os galhos e, em seguida, descascar a casca fina com as mãos. Por volta das três da tarde, tínhamos derrubado e limpado mais duas árvores e as carregamos nos ombros direto para casa.

Bem atrás da cozinha, enterramos os mastros profundamente no chão, cada um à mesma distância do outro. Cada mastro foi embrulhado em sacos *jumbos* para impedir a entrada dos cupins.

Pegamos galhos menores e os pregamos como degraus de uma escada, usando os pregos que Geoffrey tinha comprado com seu salário dos moinhos de milho. Ao pôr do sol, a torre estava pronta. Tinha quase quinze metros de altura e era incrivelmente resistente. No entanto, a uma curta distância, suas pernas longas e finas davam-lhe a aparência de uma girafa cambaia.

– Agora, durmam um pouco, senhores – eu disse. – Amanhã levantamos a máquina.

Eu mal consegui dormir naquela noite e já estava fora da porta antes de o galo cantar. Quando dei a volta na cozinha, Gilbert e Geoffrey já estavam parados perto da torre.

– Veja quem decidiu dormir até tarde – disse Geoffrey.

Fiquei muito feliz em vê-los.

A estrutura do moinho de vento pesava cerca de quarenta quilos, e a única maneira de içá-la no alto da torre era com uma corda e uma polia. Como eu não tinha nenhuma corda, tive que pegar emprestado o varal de arame da minha mãe. Prendi uma extremidade em uma alça tosca que tinha feito no moinho de vento com um pedaço de bambu. Subi na torre com a outra extremidade, lacei com ela o degrau mais alto e depois a joguei de volta para Gilbert. Onde eu estava, podia ver acima das árvores a colcha de retalhos de campos e florestas que se estendia até as terras altas.

– Ok, Gilbert – gritei. – Traga-a para cima.

Lentamente, ele começou a puxar. A alça de bambu se ergueu no ar, seguida pela grande estrutura desengonçada.

– Calma, agora!

Geoffrey estava abaixo de mim, em um degrau inferior, para guiar a máquina na subida. Nós três agora puxamos com toda a nossa força.

– Vamos lá, pessoal! – gritei. – Vamos ver esses músculos!

– Estou puxando o máximo que posso – disse Gilbert, fazendo força.

– Não a deixe escorregar, Geoffrey.

A cada puxada, o moinho de vento balançava para o lado e batia suas lâminas pesadas contra a madeira. Algumas vezes elas ficaram presas nos degraus, e Geoffrey teve de soltá-las. Aos poucos, ele foi subindo a torre.

Depois de meia hora, finalmente chegamos perto do topo. Quando a máquina estava ao meu alcance, agarrei a alça e gritei para Gilbert:

– Amarre-a!

Gilbert enrolou o fio em torno do mastro, e o moinho de vento ficou preso. Geoffrey juntou-se a mim no topo para manter a máquina no lugar.

No dia anterior, havíamos feito dois furos nos mastros de madeira. Como minha broca não era grande o suficiente, tive que usar parafusos planos, um processo que demorou horas. Também pedimos ao sr. Godsten para fazer dois orifícios correspondentes na barra transversal da bicicleta com sua pistola de solda.

De pé no topo da torre, Geoffrey pegou as porcas e os parafusos do bolso enquanto eu tentava alinhar os orifícios. Senti que a máquina estava escorregando, era muito pesada.

– Depressa, essa coisa é pesada! – eu disse.

Geoffrey enfiou os parafusos e os apertou com a chave inglesa. Quando tudo estava preso, nós nos olhamos e sorrimos. A máquina parecia firme e muito forte.

Enquanto Geoffrey descia da torre, permaneci no meu poleiro para apreciar a paisagem. Ao norte, podia ver os telhados de placas de ferro do centro comercial e as fileiras de cabanas marrons que ficavam atrás do mercado. Ao admirar a vista, percebi algo estranho: em fila, um grupo de pessoas surgira e vinha na minha direção. Deviam ter visto a torre a distância e estavam curiosas para dar uma olhada.

— Temos visitantes — eu disse.

Em minutos, cerca de uma dúzia de homens estava reunida na base da torre e olhava para a máquina. Reconheci alguns deles como comerciantes e lojistas. Um deles se chamava Kalino.

— O que é isso? — ele perguntou.

Como não há uma palavra em *chichewa* para moinho de vento, usei a expressão *magesti a mphepo*.

— Vento elétrico — respondi.

— O que isso faz?

— Gera eletricidade a partir do vento.

— Isso é impossível — disse Kalino, rindo. Ele se virou para obter uma reação dos outros. — Parece uma torre de rádio. Que tipo de brinquedo bobo é esse?

— Bem — eu disse —, apenas se afaste e observe.

Desci da torre e corri para o meu quarto em busca da peça final. Naquela manhã, eu encontrara um caniço grosso e cortara um pedaço de cerca de vinte e cinco centímetros de comprimento. Então enrolei um longo fio de cobre na base de uma lâmpada e o amarrei, criando um soquete de luz.

Segurando o soquete e a lâmpada, escalei a torre e conectei seus fios aos do gerador. Enquanto eu trabalhava, mais e mais pessoas chegavam, e eu podia ouvir a conversa delas:

— O que você acha que ele está fazendo agora? — perguntou um fazendeiro chamado Banda.

— Esse é o *misala* do ferro-velho de quem meus filhos andaram falando — respondeu outro homem. — Pense na pobre mãe dele!

Então vi meus pais e irmãs atrás da multidão. Tinham os olhos arregalados e as mandíbulas ligeiramente abertas como ficam alguns torcedores de futebol quando agrupados em torno de um rádio. Exceto que dessa vez era eu quem estava com a bola e com apenas alguns segundos restantes no relógio. Minhas mãos tremiam de nervosismo, mas eu estava confiante. Havia me preparado para aquele momento durante meses.

– Vamos ver até onde vai a loucura desse garoto – ouvi alguém gritar.

Um vento constante assobiava através da torre, misturando o cheiro de graxa da corrente com o do plástico derretido. Embora a roda permanecesse travada, a máquina gemeu contra a brisa, como se me implorasse para liberá-la. Olhei para baixo, e Gilbert e Geoffrey acenaram com a cabeça.

Lá vai, pensei.

Soltei a roda, e as pás começaram a girar. A corrente estalou firmemente contra a pedaleira, e o pneu girou devagar. Tudo aconteceu em câmera lenta.

– Vamos – eu disse. – Não me envergonhe agora.

Nesse momento, uma rajada forte me jogou para trás. A torre começou a balançar, tanto que me agarrei a um degrau para aguentar. Centímetros acima da minha cabeça, as pás começaram a zumbir como hélices furiosas. Eu agarrei a lâmpada, esperando por um milagre.

Então ele veio: um lampejo, um clarão, depois uma explosão de luz, luz magnífica. Meu coração quase explodiu.

– Veja! – alguém gritou. – A luz acendeu!

– É verdade o que ele disse!

Um grupo de crianças abriu caminho pela multidão.

– Olhe como gira!

– Deixe-me ver!

Joguei as mãos para o alto e gritei de alegria, rindo tanto que fiquei tonto. Segurei a lâmpada em triunfo e me dirigi aos incrédulos:

– Vento elétrico! – gritei. – Eu disse que não estava louco!

Uma por uma, as pessoas começaram a aplaudir. Acenavam e gritavam:

– *Wachitabwina!* Bom trabalho!

– Você conseguiu, William!

– Isso mesmo – eu disse. – E ainda vou fazer mais. Esperem e verão!

A multidão gritou perguntas e depois se reuniu perto de Gilbert e Geoffrey, querendo obter detalhes. Aqueles dois não conseguiam parar de sorrir. Fiquei na torre, ouvindo o som das pás e assistindo à cena. Só desci quando a lâmpada começou a queimar minha mão.

Meu fio não era longo o suficiente para usar a lâmpada em outro lugar a não ser no moinho de vento. Então, no final da tarde, eu a prendi ao degrau superior e saí. Ainda estava tão excitado com a experiência que fui ao centro comercial queimar um pouco de energia e saborear o sucesso. Assim que cheguei às bancas do mercado, olhei para o vale e vi que a luz ainda piscava através das ondas de calor.

– O que é aquilo? – disse um homem próximo, segurando um saco de tomates. – Ele está pegando o vento como um helicóptero.

A vendedora de tomates era Maggie, uma amiga da minha mãe.

– Bem, o dono está bem aqui. Por que não pergunta a ele?

– Isso é verdade? – ele disse. – Como isso é possível?

Expliquei a ele, como fazia com todo mundo.

– Ainda não entendo – disse ele. – Preciso ver com meus próprios olhos.

No mês seguinte, cerca de trinta pessoas por dia chegavam para olhar para a luz.

– Como você conseguiu tal coisa? – todos perguntavam.

– Trabalho árduo e muita pesquisa – eu respondia, tentando não soar muito presunçoso.

Muitos deles eram negociantes de outros distritos. Para eles, o moinho de vento se tornou uma espécie de atração de beira de estrada durante sua passagem por Wimbe. Outros vinham de outras aldeias com galinhas e milho amarrados à bicicleta. Mulheres equilibrando sacos de farinha na cabeça paravam e falavam com minha mãe.

– Deus a abençoou – disse uma delas. – Você tem um filho que pode fazer maravilhas. Você nunca mais vai reclamar de querosene.

Os homens se aproximavam de meu pai.

– Seu filho fez isso?

– Sim.

– De onde ele tirou essas ideias?

– Dos livros.

– Eles ensinam isso na escola?

– Não, ele fez isso sozinho.

Naquele mês, ajudei a limpar os campos e a prepará-los para o plantio, trabalhando a cada dia com alegria no coração. Se eu estivesse em um campo perto do moinho de vento, fazia uma pausa entre os golpes da enxada apenas para vê-lo girar.

Uma noite eu estava jogando *bawo* com Geoffrey e Gilbert perto da barbearia quando houve um corte de energia, e as luzes se apagaram. Enquanto todo mundo amaldiçoava a escuridão, corri para casa, conectei a lâmpada e voltei correndo.

– Oh, odeio esses cortes de energia! – um homem reclamou, saindo da barbearia com o cabelo cortado pela metade.

– Que cortes de energia? – perguntei com um sorriso. – Vocês viram a minha casa?

O sr. Iponga, o barbeiro, saiu de sua loja ainda segurando sua máquina de cortar cabelo.

– William, acho que você gosta dos cortes de energia só para poder se gabar do seu vento elétrico.

– Talvez.

No mês seguinte, comecei a trabalhar na iluminação da minha casa usando o moinho de vento. Para isso, eu precisava de um monte de fios elétricos. Mas, como sempre, não tinha dinheiro para comprar.

Então, uma tarde, Gilbert e eu estávamos na casa de Charity quando notei um longo fio isolado com cobre – do tipo de que eu precisava – usado como varal. Na verdade, havia um carretel inteiro de fio num canto da sala.

– *Eh*, cara – eu disse a Charity –, como você pode brincar com esse fio quando eu preciso tanto dele?

Ele disse que alguém o tinha dado a ele como pagamento por *ganyu*.

– Mas, como você é meu primo, vou lhe fazer um desconto.

Eu já estava a caminho do centro comercial para procurar um emprego quando Gilbert puxou cem kwachas do bolso e os deu a Charity. Foi assim, de uma hora para a outra, que consegui trinta metros de fio de cobre.

– Prometo que vou lhe pagar, Gilbert – disse eu.

– Não se preocupe com isso. Coloque as luzes em seu quarto.

Mais uma vez, quando eu julgava que toda a esperança parecia perdida, Gilbert veio me salvar.

Corri para casa carregando o carretel pesado. Enquanto descia a trilha em direção ao vale, pude ver o moinho de vento girar a distância. Agora, toda vez que eu o via, meu estômago dava um salto.

Desenrolei o fio para medir a distância do moinho de vento até meu quarto e em seguida cortei-o com minha faca. Segurando uma das pontas, escalei a torre.

Um moinho de vento em movimento era um ambiente de trabalho perigoso. As pás giravam tão rápido que eu tinha de ter cuidado ou terminaria com um corte de cabelo. Além disso, o gerador estava produzindo eletricidade de verdade. Enquanto desatarraxava a lâmpada e prendia o novo fio, tive o cuidado de não tocar um no outro, senão tomaria um choque. Para maior segurança, embrulhei um saco *jumbo* – que é de plástico e não conduz eletricidade – na junção onde os fios se prendem.

O telhado do meu quarto era feito de placas de palha embrulhadas em folhas de plástico, cada uma suportada por uma viga de madeira. De pé em uma escada, enrolei o fio duas vezes em torno da viga do meio – a mais próxima da minha cama – e, em seguida, abri um buraco na placa e baixei-a dentro do meu quarto.

Fiz alguns ajustes finais e então peguei a lâmpada do bolso. *Posso não estar tocando a parede para ter luz*, pensei, lembrando o interruptor na casa do Gilbert, *mas este está suficientemente perto.*

Conectei a lâmpada, e em um instante meu quarto estava iluminado. Corri para a porta, fechei-a com toda a força e fiquei me maravilhando com a nova eletricidade. Pela primeira vez, eu tinha meu espaço iluminado.

Naquela noite, após o jantar, deitei na cama e fiquei olhando para a lâmpada. Amarela, ela cintilava ao ritmo das pás giratórias, suficientemente clara para me permitir ler os livros da biblioteca que eu empilhara ao meu redor.

Ouvi uma batida à porta, e logo minha família se amontoou em meu quarto.

– Olhem, é o William que está acordado depois do anoitecer – meu pai disse.

– Parabéns – disse minha mãe. – Também gostaríamos de ter luz em nossos quartos. Acha que pode fazer isso?

– Só se você concordar em ter eletricidade gerada por um louco.

Ela riu.

– *Eh*, você provou que estávamos todos errados. Mas admito que me preocupei.

Minha irmã Rose então perguntou:

– E se o vento parar de soprar?

Foi uma pergunta importante.

– A luz vai apagar – eu disse. – É por isso que tenho planos para obter algumas baterias.

Mais especificamente, eu precisava de algo como uma bateria de carro para poder armazenar energia para quando o vento estivesse calmo. Uma bateria de carro também era grande o suficiente para alimentar toda a casa. Se eu tivesse uma, minha família poderia finalmente jogar fora aquelas lamparinas de querosene e viver como pessoas modernas.

E as luzes foram apenas o primeiro passo. O próximo moinho de vento bombearia água para nossos campos e nos daria mais comida. Os moinhos de vento seriam nossa linha de frente contra a fome.

Naquela primeira noite de luz, fiquei acordado lendo *Explicando a física* e tentando me preparar para meu próximo passo. Li por horas, muito depois de todos estarem dormindo, enquanto os cupins festejavam no telhado e nuvens de poeira vermelha entravam sob a porta. Como sempre, soprava um vento forte.

Maior e mais brilhante

Como expliquei a Rose, sem vento não havia luz. Em noites calmas e tranquilas, ficávamos presos no escuro com nossas lanternas de querosene. A única maneira de mudar isso era encontrar uma bateria de carro. Mas, até que aparecesse uma, encontrei outros usos para o moinho de vento – como, por exemplo, carregar telefones celulares.

Descobri isso quando minha prima Ruth me visitou de Muzuzu. Ruth era a filha mais velha do tio Sócrates, que era casada e tinha um bom emprego. Ela também tinha um telefone celular e estava sempre me incomodando para ir carregá-lo no centro comercial.

Alguns caras do mercado estavam ganhando muito dinheiro carregando telefones para pessoas que não tinham eletricidade em casa. Fizeram um acordo com lojistas, que lhes permitiram passar longos cabos de extensão até a beira da estrada, onde montavam uma pequena tenda. Alguns até tinham telefones celulares que as pessoas podiam usar para fazer chamadas – como um telefone público. Mais tarde descobri que barracas desse tipo são encontradas em toda a África. Em cidades maiores, como Nairóbi, Lilongwe e Kinshasa, alguns até carregavam fotocopiadoras, computadores e impressoras dessa forma, permitindo que as pessoas preparassem seus currículos para empregos

– tudo na calçada. Naturalmente, os apagões frequentes nessas cidades nunca foram bons para os negócios.

Enfim, um dia eu estava reclamando de ter que levar o telefone da Ruth para o centro comercial quando ela disse:

– Por que você não o carrega com seu moinho de vento? Ele gera eletricidade, certo?

Eu já havia pensado nisso, mas o dínamo não gerava voltagem suficiente para alimentar um telefone. Produzia doze volts – o que era bom para lâmpadas e coisas menores –, quando um carregador precisava de duzentos e vinte.

Talvez vocês se lembrem de que, ao testar o rádio, descobri que essa energia diminui ao passar pelo fio por longas distâncias. Para carregar um telefone, eu precisava de algo para aumentar a potência – algo chamado de "transformador elevador de tensão".

Empresas elétricas em todo o mundo, especialmente na Europa e na América, "intensificam" a energia o tempo todo. Como a eletricidade se perde na jornada da estação de energia até as casas, a empresa instala transformadores ao longo do caminho, de maneira a adicionar um impulso extra. É como dar à eletricidade um café e *donuts* para mantê-la estável.

Um transformador elevador de tensão tem duas bobinas – a primária e a secundária –, localizadas em cada lado de um núcleo. Uma corrente alternada flui para a frente e para trás e faz com que a bobina primária induza uma carga na segunda bobina. Este processo é chamado de indução mútua, o que significa que a voltagem de uma bobina salta para a outra. O resultado é que a voltagem geral aumenta. Aprendi isso lendo um capítulo de *Explicando a física* intitulado "Indução mútua e transformadores", que mostrava a foto de um homem de cabelo branco e gravata borboleta. Esse homem era Michael Faraday, que inventou o primeiro transformador em 1831. *Parabéns a esse cara*, pensei.

Usando os diagramas, eu estava determinado a fazer meu próprio transformador elevador de voltagem. Primeiro, peguei emprestado um alicate de corte e cortei uma chapa de ferro em um padrão E. O diagrama mostrava como transformar vinte e quatro volts em duzentos e vinte. Explicava que a voltagem aumentava a cada volta do fio e que a bobina primária precisava de duzentas voltas, enquanto a secundário precisava de duas mil. Depois disso, havia um monte de equações matemáticas, mas não lhes dei atenção. Comecei a enrolar o fio como um louco, esperando que desse certo.

Em seguida, conectei os fios do gerador à bobina primária, enquanto a bobina secundária foi ligada diretamente aos pinos de um carregador de telefone. Ruth ficou parada perto de mim, as sobrancelhas levantadas.

– Não o faça explodir – disse ela.

Eu menti:

– Sei o que estou fazendo.

Quando liguei a tomada do telefone, a tela clareou, e as barras começaram a se mover para cima e para baixo. Funcionou!

– Viu? Eu disse que ia funcionar.

Para facilitar as coisas, construí um plugue usando a tomada AC de um rádio velho que fixei na parede como uma tomada elétrica normal. Quando a notícia dessa invenção chegou ao centro comercial, a fila de pessoas que queriam carregar seus telefones chegava até a estrada.

Muitas pessoas que vieram ainda fingiam não acreditar em mim, provavelmente na esperança de que não lhes cobrasse pelo serviço.

– Você tem certeza de que esse vento elétrico pode mesmo carregar meu telefone? – diziam.

– Tenho.

– Prove.

– Vê? Está carregando.

– Meu Deus, você tem razão. Mas deixe aí mais um pouco. Ainda não estou convencido.

Depois de dois meses usando esse método, finalmente fiquei *bigger*.

Um dia, na casa do Charity, vi uma bateria de carro num canto.

– Achei ontem na estrada – disse ele. – Leve e me pague quando puder.

Ao estudar meus livros, eu sabia que as baterias de carro usam corrente DC. Então, se eu quisesse carregar usando o meu gerador – que tem corrente AC –, teria que encontrar uma maneira de convertê-la. Meu livro falava sobre diodos, ou retificadores, que são encontrados em muitos rádios e dispositivos eletrônicos e convertem essa energia.

O tipo de diodo de que eu precisava parecia uma pilha minúscula em um espeto de metal longo. Ele me lembrou dos espetinhos de ratos defumados que os meninos vendiam ao longo da estrada. Depois de estudar a foto, encontrei facilmente um díodo dentro de um velho rádio de seis volts no quarto de Geoffrey.

Construí um ferro de solda com um pedaço de cabo aquecido e então fundi o díodo ao fio que ligava o moinho de vento à bateria de carro.

Kamkwamba, pensei comigo mesmo, *você é um cara inteligente!*

Mas não devia ter ido tão rápido, porque isso criou um novo problema: o plugue de carregamento do telefone na minha parede só trabalhava com corrente AC. Fiquei intrigado com isso por vários dias e procurei a resposta em todos os livros. Finalmente minha prima Ruth resolveu o problema da maneira mais simples. Ela me deu um carregador de telefone que usava em seu carro – do tipo que usa corrente DC. Depois de fazer algumas modificações nos fios, eu tinha uma nova tomada de parede.

Com o carregador do telefone fora do caminho, passei a me concentrar na tarefa maior da iluminação. Armado da bateria do carro, consegui instalar três lâmpadas adicionais na casa. Como não podia usar lâmpadas incandescentes normais, porque elas só trabalham com corrente AC, tive que encontrar alternativas.

Na loja do sr. Daud, encontrei três faróis de carro: um farol de freio e dois faróis dianteiros. Mantive em meu quarto a lâmpada do gerador (que funcionava com correntes AC e DC). Instalei um farol de carro acima da minha porta, do lado de fora, um no quarto dos meus pais e outro na sala de estar. Quando a bateria estivesse totalmente carregada, as luzes poderiam funcionar por três dias sem vento.

Os faróis se conectavam diretamente à bateria com fios em um circuito paralelo. Aprendi isso em *Explicando a física*, que mostrava dois tipos de circuitos: paralelo e em série.

Em um circuito em série, um fio conecta cada lâmpada à bateria (ou qualquer fonte de energia que você esteja usando) em um único caminho. Para completar o circuito, todas as lâmpadas precisam estar funcionando. Se uma queimar, nenhuma vai funcionar. Alguns tipos de luzes de Natal costumam ser assim.

"Quando várias lâmpadas precisam ser alimentadas por uma única bateria, como em um sistema de iluminação de carro", explicava o livro, "a prática usual é conectar as lâmpadas em paralelo".

O livro mostrava que as casas na Grã-Bretanha são conectadas dessa maneira. Cada lâmpada é conectada com fios separados e tem seu próprio circuito. Se uma lâmpada queimar, as demais continuam a funcionar. Em seguida, dizia que "lâmpadas dispostas em paralelo podem ter interruptores independentes". Um diagrama na página seguinte mostrava o desenho básico de um interruptor de luz. Parecia fácil, de modo que construí o meu usando raios de uma bicicleta e tiras de ferro. Para o interruptor, eu queria um bom material isolante que pudesse moldar como quisesse. Então, pegando minha faca, esculpi vários botões redondos de um par de chinelos de dedo velhos e os montei dentro de pequenas caixas que fiz com canos de PVC derretidos.

Construí meu interruptor como tinha visto nos livros, com um fio que ia da fonte de alimentação para a lâmpada, e o interruptor no meio para completar – ou interromper – o circuito. Era simples: sempre que eu pressionava o botão, os aros e o ferro conectavam os terminais.

– Finalmente – eu disse –, posso tocar na parede e obter luz!

Não muito tempo depois de estender a fiação pela casa toda, uma noite entrei na sala e encontrei minha família toda reunida. Minha mãe estava fazendo uma linda toalha de mesa laranja de crochê, enquanto meu pai e minhas irmãs estavam absortos em um programa de notícias da Radio Um. Fingindo ser um dos repórteres, peguei meu microfone e falei numa voz séria e profunda.

– Estou na sala de estar do ilustre sr. Kamkwamba. Senhor, esta sala costumava ser escura e triste nesta hora. Agora, olhe para você, aproveitando a eletricidade como uma pessoa da cidade.

– Oh – disse meu pai, sorrindo –, estou aproveitando mais que uma pessoa da cidade.

– Você quer dizer porque não há apagões e você não deve nada à EFEM?

— Bem, sim — disse ele. — Mas também porque meu próprio filho foi o responsável por isso.

Ter luzes em casa foi uma melhoria notável, mas também tinha seus problemas. A bateria e os fios não eram da melhor qualidade e, na verdade, eram um tanto assustadores.

Como usei todo o fio de cobre que Charity tinha me dado, todos os outros eram pedaços de fios que encontrei no ferro-velho e nas lixeiras. Parte desse fio não servia para conduzir eletricidade, mas eu o usei mesmo assim. Amarrei todos os pedaços juntos até que parecessem uma daquelas cordas de fuga que os prisioneiros confeccionavam com lençóis. Também, como não tinham isolamento plástico, como o fio elétrico verdadeiro, viviam soltando faíscas. Eu tinha prendido essa rede podre nas paredes e no teto (que era de madeira e grama) tentando não cruzar nenhum fio e incendiar a casa inteira.

Para piorar a situação, os cupins estavam fazendo um banquete nas vigas de madeira do teto. Cada noite, eu ia para a cama ouvindo os sons de suas mandíbulas minúsculas e acordava na manhã seguinte com pilhas de serragem no chão. Seu apetite feroz finalmente deixou as vigas ocas e as fez ceder. Não demorou muito para que isso quase causasse um desastre.

Uma tarde, depois de uma forte tempestade, voltei da casa de Geoffrey e descobri que a viga havia finalmente se quebrado, provavelmente com a força do vento. O teto tinha desabado, partiu-se ao meio, e o chão estava coberto de sujeira e grama. A viga quebrada também tinha despejado centenas de cupins no chão e na minha cama.

No começo, eu tentei varrê-los, mas eram muitos. Meu pai tinha conseguido comprar mais algumas galinhas e, quando olhei pela porta aberta, vi um bando delas se aproximar.

— Venham, galinhas — gritei. — Tenho uma surpresa para vocês!

Joguei alguns cupins para fora da porta, para atraí-las. Quando perceberam que grande recompensa as esperava dentro do meu quarto, elas enlouqueceram de fome. Logo o chão e a cama estavam cheios de galinhas gritando e batendo as asas enquanto bicavam os insetos indefesos.

Esse incidente causou tal comoção que não notei o cheiro de queimado. Depois que as galinhas caíram fora, olhei atentamente para a viga quebrada e vi que os fios tinham se cruzado com o colapso. Felizmente, eram tão baratos e finos que simplesmente derreteram e se partiram ao meio. Agradeci a Deus por ninguém ter se machucado.

Mais tarde, quando Geoffrey chegou para ajudar a limpar a bagunça, eu disse a ele:

– Foi uma boa coisa eu ser muito pobre para comprar fios de qualidade. Se tivesse usado algo melhor, teria incendiado a casa.

– Eu avisei sobre aquele telhado – disse ele.

– Claro, claro, mas eu não o ouvi.

Eu precisava de um sistema de fiação adequado, e então, como sempre, voltei ao *Explicando a física*, em busca de ideias. Na página 271, encontrei um bom modelo. Um diagrama mostrava um sistema utilitário em uma casa na Inglaterra, ligado em paralelo como a minha. Depois que os fios saíam da fonte de alimentação, entravam em uma caixa de fusíveis cujo trabalho era desligar o circuito se ele ficasse sobrecarregado. Eu precisava de algo assim.

Os fusíveis continham minúsculos filamentos de metal que derretiam sempre que ocorria uma sobrecarga. Mas eu não tinha nenhum desses, nem os queria, pois os fusíveis tinham que ser substituídos a cada vez. O livro passou a descrever um dispositivo semelhante chamado disjuntor, que usava interruptores que podiam ser religados. O livro não oferecia um desenho, mas o conceito parecia semelhante a uma campainha elétrica, que eu tinha estudado em detalhes.

Na maior parte do mundo, as campainhas elétricas são encontradas em todos os lugares: em escolas, cruzamentos de ferrovias, alarmes de incêndio e telefones. O conceito é incrivelmente simples, motivo pelo qual eu o adorei.

Funciona assim: uma bobina fica magnetizada e puxa um martelo de metal, que bate um gongo. É isso. Entretanto, durante este movimento de golpe, o martelo também aciona um interruptor que interrompe o circuito. Ele faz isso cerca de uma dúzia de vezes por segundo, o que dá à campainha o seu toque.

Comecei fazendo uma caixa de disjuntor com um cano de PVC. Em seguida, enrolei as cabeças de dois pregos com fio de cobre, para criar duas bobinas eletromagnéticas. Então as montei dentro da caixa, voltadas uma para a outra e separadas por cerca de quinze centímetros. Entre elas, liguei um pequeno ímã (que tirei de um alto-falante de rádio) ao pedaço de um aro de bicicleta, e ali ele ficou, parecendo um pirulito. Esse pirulito magnético poderia fazer tique-taque, para a frente e para trás, entre os dois pregos transformados em bobinas.

Então removi a pequena mola de uma caneta esferográfica e a estiquei. Posicionei-a entre o ímã pirulito e o prego, onde ele se apoiava levemente contra o fio que levava à bateria. Basicamente, essa mola completou o circuito e funcionou como uma espécie de armadilha.

Quando a luz foi ligada normalmente, a eletricidade fluiu da bateria para esse circuito e magnetizou meus dois pregos, um dos quais estava ligeiramente mais perto do pirulito. Como a polaridade é determinada pela direção em que a corrente corre, envolvi os pregos com fio, de modo que o mais próximo do pirulito empurrasse, enquanto o outro prego puxasse. Esse empurra e puxa mantinha o pirulito equilibrado no centro, sem saber o que fazer.

No caso de uma oscilação de energia, o equilíbrio seria rompido. A bobina mais próxima do pirulito receberia a sobretensão primeiro e empurraria a outra bobina, batendo na mola e interrompendo o circuito.

Como você pode imaginar, foi complicado construir tudo isso. Gastei horas tentando posicionar a bobina e os ímãs corretamente e determinar o melhor local para o fio de disparo. Quando finalmente acabei, preguei a caixa do disjuntor na parede acima da bateria. Toda noite eu me sentava na cama e olhava para ela, esperando que funcionasse.

Tive meu desejo realizado cerca de duas semanas depois, quando um ciclone atingiu minha casa.

Eu tinha passado o dia todo no centro comercial e na volta encontrei pedaços do telhado de palha no pátio.

Quando minha mãe saiu da cozinha, perguntei o que tinha acontecido.

– Um grande ciclone acabou de soprar dos campos. Tivemos que correr para dentro.

Entrei em meu quarto e vi que o telhado havia desabado. Partes do teto estavam espalhadas pelo chão. Também notei que o disjuntor estava virado, e o pirulito agora estava preso contra uma das bobinas. Tentei colocá-lo de novo no meio, mas ele voltava sempre para o lugar anterior. Depois de desconectar a bateria, segui meus fios ao longo do teto e descobri que ficaram emaranhados por força do vento do ciclone. Depois que os separei e reconectei a bateria, o pirulito voltou ao centro. Mais uma vez, eu escapei por pouco de um incêndio.

Mas é claro que eu estava mais animado com meu disjuntor do que com qualquer outra coisa.

– Sr. Geoffrey, você imagina o que isso significa? Minha casa teria virado cinzas. Todas as minhas roupas, cobertores e livros – nada mais existiria. Meu disjuntor foi a salvação!

– Seu disjuntor é ótimo – ele concordou. – Mas acho que a melhor solução é consertar o telhado.

Qualquer nova invenção terá problemas e, além da fiação irregular, uma das minhas maiores dores de cabeça era a corrente da bicicleta. Sempre que o vento soprava muito forte e girava as pás, a corrente se partia ou simplesmente saltava dos dentes da pedaleira, obrigando-me a escalar a torre para consertá-la. Isso exigia parar as pás, o que sempre era trabalhoso.

Certa manhã, eu estava dormindo profundamente quando um terrível barulho me forçou a acordar. A corrente havia se quebrado novamente. Ouvi o vento chicotear a árvore e minha torre balançar para trás e para a frente. Eu poderia dizer que as pás estavam girando muito rápido, porque estavam zumbindo no rotor. Se eu não as prendesse logo, elas poderiam soltar-se e voar pelo ar como adagas.

Lá fora, escalei o primeiro lance de degraus e, como de costume, tirei meus chinelos para poder me agarrar melhor. Mas o vento estava violento e raivoso, balançando a torre com tanta força que pensei que ela ia tombar. Olhando para cima, vi a corrente balançar solta sobre a pedaleira enquanto as pás giravam loucamente. Quando cheguei ao topo, enganchei as pernas em volta de um degrau para ter um apoio. Mas, ao tentar manter o equilíbrio, não vi o quadro da bicicleta balançar na minha direção. Antes que eu pudesse reagir, o vento jogou as pás direto na minha mão. O impacto me fez soltar as pernas e fiquei pendurado, tentando não cair. Olhando para baixo, tudo que vi foi sangue. Três dos meus nós dos dedos estavam sem pele.

— Você é minha criação! — gritei para o moinho de vento. — Por que está tentando me destruir? Por favor, deixe-me ajudá-lo.

Tirei do bolso uma tira de pneu de bicicleta que tinha trazido para tais reparos. Enrolei-a na palma da mão como uma luva de proteção, prendi a respiração e segurei firme na roda dentada giratória. Os dentes cortaram a borracha como a lâmina de uma serra.

— Pare!

Quando tudo parou, enfiei um aro de bicicleta dobrado na roda para evitar que a máquina girasse, e então recoloquei a corrente. Alguns dias depois, quando aconteceu novamente, não tive tanta sorte. Os dentes da roda dentada atravessaram a borracha do pneu e rasgaram minha carne. E aconteceu de novo. Minhas mãos estão cobertas de cicatrizes.

Durante esse tempo, Geoffrey ainda estava trabalhando com o tio Musaiwale no moinho de milho em Chipumba. Ele fora contratado para varrer o chão e buscar coisas para o moinho. Mas, assim que Geoffrey chegava, nosso tio desaparecia na cidade e o deixava cuidando do moinho sozinho. Era um trabalho difícil e ingrato. Cerca de uma vez por mês, ele voltava para casa e reclamava de sua vida de trabalhador.

— Ele me obriga a subir cinco colinas de bicicleta para pegar diesel — Geoffrey disse. — E, no caminho de volta, o combustível encharca minhas roupas. Estou lhe dizendo, irmão, estou com muita saudade de vocês.

Mas ele também descreveu como as máquinas de moagem no moinho funcionavam com polias e correias de borracha.

— Você pode resolver seu problema com a corrente se usar um cinto. Nós os usamos no moinho, e eles nunca falham.

Foi uma ótima notícia. Uma polia era exatamente do que eu precisava para aumentar a tensão entre as rodas dentadas dianteira e traseira da pedaleira, porque era por isso que a corrente continuava voando para fora. Além disso, um cinto não precisava de graxa constante.

No ferro-velho, encontrei facilmente duas polias de um velho motor de bombeamento de água. Usei um pedaço de aço pesado para quebrar seus contrapinos e deslizá-los para fora da máquina. Mas o orifício central da polia maior era grande demais para o meu eixo, de modo que tive de soldá-lo na roda dentada.

Nessa época, o sr. Godsten não zombava mais de mim. Sempre que ele me via chegar com minhas peças, ele apenas sorria e disparava seu maçarico.

– Diga-me onde.

O sr. Godsten até me deixou usar seu esmeril para aplainar todos aqueles dentes afiados na roda dentada até que suas pontas ficassem polidas.

– Isto é para todas as minhas cicatrizes! – eu disse, enquanto elas desapareciam sob a chuva de faíscas.

As polias funcionaram muito bem, mas eu não tinha um cinto adequado. Geoffrey havia prometido tentar me trazer um. Mas, nesse ínterim, cortei a alça de uma velha bolsa de náilon e a prendi em volta das polias. Funcionou por uns dez segundos antes de escorregar. Eu até abri algumas pilhas e removi a geleia de cloreto de amônio (como havia lido nos meus livros), esperando que funcionasse como uma cola. Mas desapareceu depois de algumas horas.

Depois, um velho no centro comercial me deu o cinto de uma fresadora que ele usava para prender vegetais em sua bicicleta. Como o cinto estava quebrado, tentei consertá-lo com uma agulha de crochê e fibra de carbono de um pneu de caminhão. Não durou muito. Mas, com não havia outra coisa, usei esse sistema por dois meses.

Finalmente, Geoffrey voltou de Chipumba com um bom cinto, que funcionou perfeitamente. Foi o fim dos ferimentos no trabalho. Melhor ainda, eu não precisava mais sair da cama de manhã para escalar a torre. Em vez disso, quando o galo me arrancava dos sonhos no início da manhã – o que ele sempre fez –, o zumbido constante da máquina me fazia dormir de novo. Mas às vezes esse galo era um cara persistente, e nem mesmo meu moinho de vento podia garantir meu descanso.

– Galo! – gritei. – Se você não calar a boca, seu pescoço magro é que vai girar naquelas pás!

– *CO – CO – RI – CÓÓÓÓ!!!*

Não adiantou. Vencer a escuridão no campo foi muito difícil, mas vencer um galo barulhento era impossível.

O inventor incansável

Em janeiro daquele ano, os alunos voltaram à escola em Kachokolo. Certa manhã, sentei-me na estrada ouvindo-os rir, brincar e falar sobre os amigos e professores, e, assim que eles passaram, fui para o meu quarto e fechei a porta.

Eu ainda encontrava Gilbert e os outros para jogar *bawo* e, quando eles diziam coisas como "Então, William, quando veremos você na escola de novo?", ou gabavam-se de suas notas, eu não falava nada ou simplesmente lhes dizia "Prefiro não falar sobre isso". Depois de um tempo, ninguém perguntava mais.

Foi então que comecei a notar os fantasmas. Não fantasmas de verdade, mas meninos que tinham abandonado a escola e agora vagabundeavam no centro comercial. Eu os via na porta da loja de secos e molhados, descalços e de roupas sujas, esperando por pequenos trabalhos para que depois pudessem passar a noite toda nos bares.

No Malaui, dizemos que essas pessoas estão "curtindo" a vida, vivendo apenas de *ganyu*, sem planos para o futuro. Comecei a me preocupar de ficar como eles. Tinha medo de que um dia o moinho de vento não me estimulasse mais ou que fosse muito difícil mantê-lo, e o milharal ou os antros de bebida me engolissem lentamente. É fácil perder os sonhos.

Lutei contra essa escuridão tentando manter uma atitude positiva. Toda semana eu voltava à biblioteca apenas para continuar a aprender e ficar inspirado. Li todos os romances e livros de ortografia e pratiquei meu inglês. Continuei lendo *Explicando a física*, *Usando a energia* e *Ciência integrada* e pesquisando outras maneiras de ajudar minha família.

Porque o moinho de vento tinha sido um sucesso, eu sentia uma pressão para fazer algo maior. Comecei a me ver como um famoso astro do *reggae* que acabara de lançar um álbum incrível e agora tinha que produzir outro sucesso. Os fãs estavam esperando isso (pelo menos achei que estavam). Então, cada dia na biblioteca eu folheava meus livros em busca de uma nova grande ideia.

Muita gente que vinha ver meu moinho de vento dizia a mesma coisa:

– Parece uma antena.

Ou então:

– Se você pôde fazer esse vento elétrico, pode fazer uma antena. É isso que parece mesmo.

Isso me deixou curioso sobre como uma antena realmente funcionava e, depois de pensar um pouco sobre isso, fui para a casa de Geoffrey com uma ideia.

– *Eh*, essas pessoas estão sempre dizendo que nosso moinho de vento é uma antena. Então vamos dar a elas o que elas querem.

– O que você quer dizer?

– Vamos construir uma estação de rádio.

Naquela tarde, vasculhamos nosso saco de peças e encontramos dois rádios que nem tinham tampa. Eu queria testar uma teoria. Uma noite, algumas semanas antes, houve uma grande tempestade. Eu estava no meu quarto ouvindo o *Sunday Top Twenty* quando um grande estalo causou uma falha no meu programa, como se o relâmpago tivesse cortado o meu sinal.

Pegando os dois rádios, ajustei um em uma frequência estática e sintonizei o outro no número indicado no dial. Quando isso aconteceu, o segundo rádio ficou em silêncio, sem estática, nada. Era a frequência de um rádio penetrando na do outro, assim como o relâmpago? Se isso fosse verdade, certamente eu poderia colocar minha voz nessa frequência e deixá-la passar para o outro rádio.

Um dos rádios que eu estava usando era um Walkman com AM/FM e um toca-fitas. Então, deixando o primeiro rádio sintonizado na estática, peguei o Walkman e mudei para o modo de fita. Notando que os fios corriam da cabeça da fita para os alto-falantes, eu os desconectei e reconectei ao condensador do toca-fitas, que controla a frequência. Talvez a música destinada aos alto-falantes pudesse, em vez disso, pegar uma carona em uma onda de frequência direta para o rádio.

Coloquei minha fita dos Missionários Negros no *deck*.

– Lá vai – eu disse.

Pressionei PLAY, e a música tocou alto no outro rádio! O Walkman era meu transmissor, o que significava que, se eu tivesse cinco rádios sintonizados na mesma frequência, todos tocariam os Missionários Negros.

– Agora, sr. Geoffrey – eu disse –, como posso fazer isso com minha voz?

Desconectei os fios do condensador e os reconectei em um alto-falante separado, que tinha tirado de um par de fones de ouvido, transformando-o em um microfone. Pressionei PLAY novamente e comecei a falar ao microfone.

– Um, dois, um, dois – eu disse.

Eu podia ouvir minha voz vindo do outro toca-fitas.

– Boa tarde, Malaui. Aqui fala seu anfitrião William Kamkwamba, com seu fiel companheiro, sr. Geoffrey. Seu programa regularmente programado foi interrompido.

Depois disso, Geoffrey e eu começamos a fazer experiências com nossa pequena estação de rádio. Geoffrey saiu com o rádio, enquanto fiquei no meu quarto e comecei a cantar suas canções favoritas de Billy Kaunda. Mesmo lá de fora, Geoffrey pôde ouvir minha voz claramente.

Depois de um tempo, ele gritou:

– Meus ouvidos estão sangrando! Mas, por favor, continue. Isso é legal!

Mas, quanto mais ele se afastava do meu quarto, mais fraco era o sinal. Depois de uns cem metros, ele desapareceu de todo, o que provavelmente foi bom para Geoffrey, por causa da minha voz nojenta.

– Se tivéssemos um amplificador, poderíamos transmitir para distâncias maiores – eu disse.

Mas Geoffrey estava com medo de sermos presos por bagunçar as frequências do governo. As pessoas diziam esse mesmo absurdo sobre meu moinho de vento:

– É melhor você ter cuidado ou a EFEM virá prendê-lo.

Se as primeiras pessoas a fazer experiências com grandes invenções como rádios, geradores ou aviões temessem ser presas, nunca estaríamos desfrutando essas coisas hoje.

– Deixem que venham e me prendam – eu lhes dizia. – Seria uma honra.

Logo eu estava testando cada ideia com seu próprio experimento.

Ao longo do ano seguinte, estive constantemente planejando ou imaginando um novo projeto. E, embora o moinho de vento e a estação de rádio tivessem sido um sucesso, eu não poderia dizer o mesmo de outras aventuras.

O projeto que mais me entusiasmou foi o de uma bomba de água – que fazia parte da minha ideia original naquele dia na biblioteca. Assim como fiz com meu moinho de vento, primeiro desenhei uma bomba experimental para poder estudar o conceito. Eu a modelei a partir de uma imagem em *Explicando a física* de uma bomba de força padrão que usa um pistão e uma série de válvulas para empurrar a água por uma saída. Um melhor exemplo eram as bombas manuais que minha mãe e minhas irmãs usavam em Wimbe para obter nossa água.

Meu objetivo era construir uma bomba no poço raso que tínhamos em nossa casa. Não era nada além de um buraco de doze metros de onde tirávamos água para lavar roupas e pisos. (Não era suficientemente limpa para beber.) A única maneira de conseguir água era usar uma corda comprida e um balde. Para bombear água, eu precisava de um cano longo o suficiente para chegar ao fundo do poço.

Poucos dias antes, eu havia tropeçado em uns canos de irrigação enterrados no chão do ferro-velho, mas os tinha esquecido. Uma manhã, peguei minha enxada e os desenterrei.

O primeiro era um cano longo de PVC que usei como meu barril externo. Enfiei-o no poço até sentir que bateu no fundo. O segundo cano era de metal e ligeiramente mais fino, perfeito para meu pistão. O sr. Godsten então soldou uma arruela de metal redonda na ponta do cano e deixou um buraco aberto no centro. Em volta da arruela coloquei um pedaço grosso de borracha de pneu que funcionava como vedação. Então pedi ao sr. Godsten para dobrar a ponta superior do cano para fazer uma alça.

Quando empurrei o cano de metal para cima e para baixo, criou-se uma espécie de vácuo dentro do cano de PVC externo. Quando o puxei para cima, a água foi sugada para dentro do cano de plástico, e, quando o empurrei para baixo, a vedação de borracha abriu e empurrou a água para a superfície, depois saiu por um pequeno orifício e dali para um balde.

Mas o problema foi que a válvula de borracha também criou muito atrito contra o cano de plástico. Minha mãe e minhas irmãs tentaram usar a bomba, assim como outras mulheres, mas acharam muito difícil operar.

– Não consigo lidar com isso – disse minha mãe. – Parece que emperrou.

Tentei engraxar o cano, mas a água fria deixou a graxa muito espessa e grumosa. Depois de um tempo, desisti.

A bomba foi um fracasso, mas não foi nada comparada com minha tentativa de criar biogás.

Como mencionei anteriormente, o desmatamento no Malaui tornou difícil encontrar lenha para cozinhar, e coletar madeira apenas contribuiu para esse ciclo destrutivo. Uma boa colheita de milho geralmente nos dava espigas secas suficientes para queimar por cerca de quatro meses. Mas, quando elas acabavam, a caça à madeira começava.

Além de buscar água em Wimbe, minha mãe e minhas irmãs costumavam caminhar três quilômetros até o bosque de eucaliptos perto de Kachokolo para cortar um pequeno feixe de troncos finos – uma tarefa que levava pelo menos três horas. Essa madeira ainda estava verde, e queimá-la produzia uma espessa fumaça branca que saía pelas janelas da nossa cozinha. Eu via minha pobre mãe mexer a panela de *nsima* com os olhos fechados enquanto as lágrimas corriam pelo seu rosto. Todas as garotas da minha família tinham uma tosse desagradável por ano.

No Malaui, este é o fardo de todas as mulheres. E eu sabia que essas viagens para encontrar madeira só iriam ficar mais longas. Além disso, o desmatamento só criaria mais secas e inundações devastadoras.

Alguém tinha que salvar nossas mulheres e nossas árvores, e eu pensei: *Por que não eu?*

Desde que eu construíra o moinho de vento, as mulheres me perguntavam:

– O vento elétrico permite que sua mãe cozinhe?

A resposta era não. Infelizmente meu moinho de vento não fornecia voltagem suficiente para alimentar uma chapa elétrica, muito menos um fogão ou um forno elétrico.

Mas, algumas semanas antes, eu estava fazendo experiências com fios e baterias e tive uma ideia. Peguei um longo fio de cobre e o enrolei vinte vezes em torno de um bambu grosso – do tipo que usamos para construir nossos telhados e cercas. Conectei as duas pontas a uma bateria de doze volts e senti que esquentava. Logo o fio estava em brasa, e o bambu pegou fogo em minhas mãos. Foi um experimento estúpido, mas que me fez pensar. *Talvez algo assim pudesse ferver água.*

Eu não poderia colocar uma panela de metal em cima de uma bobina de fio de cobre, porque ele atuaria como um condutor. Uma panela de barro era muito pesada e iria esmagar a bobina. Então construí uma espécie de varinha mágica usando uma caneta esferográfica vazia. Bobinas desse tipo já existiam – eu as tinha visto no centro comercial –, mas eram alimentados por eletricidade da EFEM. Conectei minha bobina a uma bateria de doze volts e a mergulhei na água. Em cerca de cinco minutos, estava fervendo.

Mas isso era muito simples. Eu tinha que ir mais longe. Meu livro *Ciência integrada* tinha uma pequena seção sobre combustíveis alternativos, como a energia solar e hidráulica. Estudei ambos. Mas o livro também mencionava algo chamado de biogás, que se obtinha convertendo-se cocô de animal em combustível para uso na cozinha. Ele descrevia um longo processo para obter esse gás: primeiro era preciso enterrar o cocô em uma cova e esperar meses e meses antes que o gás pudesse ser drenado com uma válvula.

Eu não preciso de uma cova, pensei. *E certamente não preciso esperar tanto tempo assim.*

Então, elaborei meu plano. Entrei na cozinha da minha mãe e peguei o pote redondo de barro que ela usava para fazer feijões. Agora tudo que eu precisava era da "matéria orgânica", como o livro descrevia, e não precisei ir muito longe. Não muito longe, tia Chrissy mantinha duas cabras em um curral atrás de sua casa, e o chão estava coberto de bolinhas duras de cocô. Pegando um saco de açúcar, eu me certifiquei de que ninguém estava olhando e pulei a cerca. Enchi o saco até a borda e caminhei de volta para a cozinha.

Minha mãe estava ocupada no pátio, o que me deu muito tempo para trabalhar. Primeiro, joguei o cocô na panela e a enchi até a metade com água, fazendo as bolas flutuar. Então cobri a panela com um saco plástico *jumbo* e amarrei-o uma corda, apertando com força. Para minha válvula, cortei a parte superior uma antena de rádio e enfiei o tubo oco no centro do plástico. Por último, fechei o topo com palha de junco.

Como o fogão da minha mãe ainda estava quente do café da manhã, joguei lá dentro um punhado de espigas de milho até que as brasas ganhassem vida. Coloquei a panela no centro e esperei pela fervura.

– Kamkwamba – disse a mim mesmo. – Você realmente conseguiu desta vez.

Em alguns minutos, quando a água começou a ferver, ouvi um barulho dentro da panela. O plástico estufou com o vapor, mas a corda segurou firme. Meu coração começou a palpitar. Eu esperaria mais alguns segundos antes de iniciar o teste final.

Foi quando minha mãe entrou.

– Que cheiro é esse? – ela gritou.

Eu gaguejei:

–Bi-biogás, é...

– É horrível! O que você está fazendo aqui?

Não tive tempo de explicar. A essa altura, o plástico estava roncando loucamente, pronto para explodir. Tinha que agir rápido. Era hora de retirar a palha de junco e prosseguir com a ignição.

Estendi a mão e abri a válvula e, quando fiz isso, um cano de gás prateado saiu pelo topo. Minha mãe estava certa, o cheiro era terrível. Agarrei um longo pedaço de bambu que eu tinha deixado de lado e o coloquei no fogo, pegando uma chama.

Corri para a porta, empurrando minha mãe para o lado.

– Afaste-se! – gritei. –Isso pode ser perigoso.
– O quê?

Com metade do meu corpo protegido pelo batente da porta, atirei a tocha flamejante em direção à válvula e protegi os olhos da explosão. Mas, quando o fogo tocou o gás, ouviu-se um chiado, e tudo estava morto. Fiquei segurando um pedaço de bambu molhado, pingando água suja de cocô.

Minha mãe ficou furiosa. Ela me arrastou para fora da cozinha gritando:
– Olha o que você fez, você arruinou minha melhor panela! Cocô de cabra fervendo! Espere até eu contar a seu pai!

Tentei lhe dizer que estava fazendo aquilo por ela, mas acho que não era a hora certa.

Em 2006, quando eu tinha dezoito anos, outra fome atingiu o Malaui.

Nesse ano, graças a uma mudança no governo, minha família conseguira comprar alguns sacos de fertilizante. No início, as chuvas vieram como de costume. Plantamos nossas sementes e esperamos que as mudas dessem as caras. Então adicionamos uma colher de fertilizante e muita oração.

Em janeiro, as mudas estavam na altura do tornozelo e mostrando seus bracinhos, felizes por beberem aquela chuva deliciosa. Mas, quando elas chegaram à altura dos joelhos do meu pai, a chuva parou completamente. Quando chegou a época do *dowe*, a maioria das espigas estava deformada. O governo rapidamente prometeu ajuda, mas, enquanto isso, o povo estava cada dia com mais raiva e medo.

Durante a fome de 2001-2002, as pessoas culparam os funcionários corruptos que venderam nosso excedente. Mas, dessa vez, em vez de pôr a culpa no clima, culparam a magia. E isso significava me culpar.

As superstições ainda eram muito fortes em todo o país, e notícias de incidentes fizeram crescer o medo. Durante a fome anterior, ouvimos muitos relatos sobre vampiros que roubavam partes do corpo das pessoas e as vendiam. Depois dos vampiros, uma fera estranha apareceu em Dowa e começou a atacar as aldeias. Alguns disseram que ela parecia uma hiena, outros, que era um leão com cara de cão. Os ataques fizeram com que milhares fugissem de casa e fossem dormir na floresta, onde ficaram ainda mais vulneráveis à exótica criatura.

A polícia conduziu buscas durante toda a noite. Então, uma noite os policiais conseguiram encurralar a besta em um matagal e abriram fogo com seus rifles. Mas, em vez de cair morta, a fera se dividiu em três animais e desapareceu no mato. Os aldeões convocaram seu *sing'anga*, que inventou uma poção poderosa e a lançou nas árvores. Na manhã seguinte, a besta estava morta na estrada, e seu único cadáver tinha o tamanho de um cachorro. Mais tarde, descobriu-se que o animal era produto de magia. Certo comerciante perto de Dowa havia comprado trovões e relâmpagos de um poderoso feiticeiro e se recusara a pagar por isso. Em retaliação, o feiticeiro enviou um monstro contra a aldeia dele.

Essas histórias, por mais ridículas que fossem, só aumentaram o temor de poderes do mal. Então, em 2006, quando parecia que outra fome estava chegando, as pessoas culparam a magia. Passamos semanas sem chuva e, finalmente, em um dia de março, nuvens gigantescas de tempestade apareceram a distância. A visão de nuvens negras era algo para comemorar.

– Vejam – diziam as pessoas. – Hoje teremos chuva!

– Finalmente estamos salvos.

Mas, quando as nuvens chegaram, um vento forte soprou. Jogou a poeira vermelha em nossos olhos e bocas e enviou pequenos ciclones rasgando os campos. Aos poucos, a tempestade foi-se afastando sem deixar uma gota.

Com nada além do sol escaldante no céu, pessoas se reuniram em minha casa, apontando meu moinho de vento. As pás giravam tão rápido que a torre abalou e balançou.

– Olhem, esse ventilador gigante afastou as nuvens. Sua máquina está afugentando nossa chuva!

– Essa máquina é má!

– Não é uma máquina, é a torre de uma bruxa. Esse menino está chamando as bruxas.

– Esperem um pouco – eu disse. – A seca está em todo o país. Não está apenas aqui, e o vento elétrico não é a causa.

– Mas nós vimos com nossos próprios olhos! – eles disseram.

Eu estava com medo de que essas pessoas voltassem e destruíssem meu moinho de vento, ou pior. Fiquei toda a semana seguinte dentro de casa. Até parei as pás durante o dia, para que elas não levantassem mais suspeitas.

No centro comercial, as pessoas abordaram Gilbert.

– Você pode nos contar a verdade – disseram. – É verdade o que ele diz sobre esse vento elétrico? Ou ele é realmente um bruxo?

– Ele não é um bruxo – respondeu Gilbert. – É um moinho de vento, uma máquina científica. Eu o ajudei a construí-lo.

– Tem certeza?

– Tenho certeza. Você viu por si mesmo.

Muitos deles até tinham usado meu moinho de vento para carregar seus telefones celulares. Mas colocar a culpa em mim os ajudou a superar seus medos sobre a fome. Felizmente, não muito depois disso, o governo interveio e liberou toneladas de milho no mercado. Alguns meses depois, agências de ajuda chegaram e ofereceram mais assistência. Ninguém passou fome ou morreu. Uma catástrofe foi evitada, mas ainda assim revelou um atraso de nosso povo que realmente me frustra.

O mundo descobre Wimbe

Apesar do incidente com a fome, minha popularidade como inventor levou a outras oportunidades. Nesse mesmo ano, um dos professores da Wimbe Primary me perguntou se eu estaria interessado em começar um clube de ciências para os alunos. Ele se impressionou com meu moinho de vento e queria um no campus.

– Os alunos respeitam você – disse ele. – Suas habilidades em ciência realmente desafiarão o cérebro deles.

– Claro – eu disse. – Vou fazer isso.

O moinho de vento que criei para a escola era pequeno, muito parecido com meu primeiro experimento de rádio. Para as pás, usei um balde de metal de milho, e o gerador era um motor de rádio. Eu o prendi a um mastro de eucalipto e conectei os fios em meu velho rádio Panasonic de duas baterias. Fiz isso uma manhã durante o recreio, quando todas as crianças estavam jogando futebol. Quando conectei os fios e a música explodiu no pátio da escola, a excitação gerou um pequeno tumulto.

O moinho de vento não só permitia que os alunos ouvissem música e notícias, mas também que pudessem carregar os celulares dos pais. Cada segunda-feira, eu explicava a eles os fundamentos da ciência e lhes dava alguns exemplos populares de inovação, como, por exemplo, que a tinta fora feita pela primeira vez usando-se carvão. Também demonstrei o experimento do copo e da corda apresentado em meus livros para explicar como um telefone funciona.

Eu os guiei pelas etapas que percorri para construir tudo usando materiais do dia a dia.

– Tantas coisas ao seu redor são reutilizáveis – eu disse a eles. – Onde os outros veem lixo, eu vejo oportunidade.

Eu esperava estar inspirando-os de alguma forma, porque, se pudesse ensinar meus vizinhos a construir moinhos de vento, pensei, o que mais poderíamos construir juntos?

– Na ciência, inventamos e criamos – continuei. – Fazemos coisas novas que podem melhorar nossa situação. Se pudermos inventar algo para tornar nossa vida melhor, podemos mudar o Malaui.

Mais tarde, descobri que alguns dos alunos tinham se inspirado tanto no moinho de vento que foram para casa e fizeram suas próprias versões de brinquedo.

Imaginei como seria se todos aqueles cata-ventos fossem de verdade. E se cada casa e loja em Wimbe tivesse máquinas no telhado para captar o vento? À noite, o vale inteiro brilharia como um céu cheio de estrelas. Trazer eletricidade para o meu povo não parecia mais o sonho de um louco.

No início de novembro de 2006, alguns funcionários do Departamento de Formação de Professores do Malaui estavam inspecionando a biblioteca da escola primária de Wimbe quando notaram meu moinho de vento no pátio da escola. Perguntaram à sra. Sikelo quem o construíra, e ela lhes deu o meu nome. Um deles telefonou para seu chefe, o dr. Hartford Mchazime, e descreveu o que viu.

Poucos dias depois, o dr. Mchazime dirigiu cinco horas até Wimbe. Ele ficou ainda mais surpreso quando viu o moinho de vento maior na minha casa e perguntou ao meu pai se poderia falar com o menino que o construíra.

– Ele está aqui – disse meu pai, e me chamou em meu quarto.

O dr. Mchazime era um homem mais velho de cabelos grisalhos e olhos bondosos e pacientes. Mas, quando falou, seu domínio da linguagem era amplo e poderoso. Eu nunca tinha escutado alguém falar tão bem *chichewa*, e, quando ele falava inglês, era muito eloquente.

Ele me perguntou sobre o moinho de vento e como a ideia tinha surgido.

– Conte-me tudo – disse ele.

Contei-lhe que o tinha feito centenas de vezes antes e então o levei pela casa, demonstrando como meus interruptores e o disjuntor funcionavam. Ele ouviu com atenção, acenando com a cabeça, e fez perguntas específicas.

– São lâmpadas muito pequenas. Por que você não está usando lâmpadas grandes?

– Posso usar as grandes – disse eu –, mas lâmpadas grandes exigem mais voltagem. O dínamo é potente.

– Até onde você foi com sua educação?

– Apenas até o primeiro ano do ensino médio.

– Então como você sabia essas coisas sobre voltagem e potência?

– Tenho pegado livros emprestados de sua biblioteca.

– Quem lhe ensina essas coisas? Quem o ajuda?

– Ninguém – eu disse. – Tenho lido e feito isso sozinho.

O dr. Mchazime foi ver meus pais.

– Vocês têm luzes em sua casa por causa do seu filho – ele disse. – O que acham disso?

– Achamos que ele estava louco – disse minha mãe.

O dr. Mchazime riu e balançou a cabeça.

– Eu quero lhes dizer uma coisa – ele disse. – Talvez vocês não percebam, mas seu filho fez uma coisa incrível, e isso é apenas o começo. Vocês verão muito mais pessoas vindo aqui para ver William Kamkwamba. Tenho a sensação de que esse menino irá longe. Quero que vocês estejam preparados.

A visita me deixou um pouco confuso e muito animado. Nunca alguém me fizera essas perguntas antes, e ninguém tivera esse interesse. Naquela tarde, o dr. Mchazime voltou ao seu escritório em Zomba e contou a seus colegas o que tinha visto.

– Isso é fantástico – disseram eles. – O mundo inteiro precisa conhecer esse menino.

– Eu concordo – disse o dr. Mchazime. – E tenho uma ideia.

Na semana seguinte, o dr. Mchazime voltou à minha casa com um jornalista da Rádio Um. Era o famoso Everson Maseya, cuja voz eu ouvia há anos. Ele veio à minha casa para me entrevistar.

– Como você chama isso? – ele perguntou.

– Estou chamando de vento elétrico.

– Mas como isso funciona?

– As pás giram e geram energia a partir de um dínamo.

– E no futuro, o que você quer fazer com isso?

– Quero chegar a todas as aldeias do Malaui, para que as pessoas possam ter luz e água.

Enquanto esperávamos a entrevista da Radio Um ir ao ar, o dr. Mchazime veio com ainda mais repórteres. Esses homens representavam todas as grandes organizações de mídia no Malaui: os canais de rádio Mudziwithu e Zodiak, *The Daily Times*, *Nation* e *Malawi News*. Eles se derramaram para fora do carro com suas câmeras e gravadores e se aglomeraram ao redor do moinho de vento.

Por duas horas, andaram pela casa, acotovelando-se e empurrando-se para obter as melhores fotos de meus interruptores e meu sistema de bateria.

– Você teve seu tempo. Agora é minha vez!

– Afaste-se, meu jornal é maior!

Logo nosso pátio estava lotado de pessoas do centro comercial que tinham vindo ver os jornalistas famosos. E lá estavam eles, boquiabertos.

– Olhem, é Noel Mkubwi, do Zodiak! – eles disseram.

– Finalmente vemos seu rosto. Que homem bonito!

– E ele está entrevistando William!

Um dos repórteres até escalou minha torre e estudou as pás e o sistema de correntes, tirando fotos o tempo todo.

– Mchazime, esse sujeito é um gênio – gritou ele.

– Sim – respondeu Mchazime –, e este é o problema com o nosso sistema. Estamos perdendo talentos o tempo todo em consequência da pobreza. E, quando os mandamos de volta para a escola, eles não têm uma boa educação.

Estou trazendo vocês aqui porque quero que o mundo veja o que esse menino fez e que o ajudem.

Como eu, o pai do dr. Mchazime também tinha sido um pobre agricultor que lutava para alimentar e vestir sua família. Mas ele sabia o valor da educação. A certa altura, quando era jovem, o dr. Mchazime tinha se oferecido para abandonar a escola e trabalhar para que seus irmãos pudessem estudar. O pai recusou, dizendo:

–Todos os meus filhos vão ficar na escola. Farei o que for preciso.

Passaram-se quase dez anos até que o dr. Mchazime pudesse completar a escola secundária. Mais tarde, ele se formou em universidades no Malaui, na América, na Grã-Bretanha e na África do Sul. Antes de trabalhar para o MTTA, escreveu muitos livros didáticos, entre eles o das provas Padrão Oito.

Um dia após a visita dos jornalistas, a entrevista finalmente foi ao ar na Rádio Um. Eu estava atrás da casa conversando com minha tia quando minha mãe gritou:

– William, rápido. Vai entrar no ar!

Com minha família reunida em volta do rádio, ouvi o locutor dizer:

– Um menino em Wimbe, perto de Kasungu, fez o vento elétrico.

Quando minha voz saiu pelos alto-falantes, minhas irmãs começaram a aplaudir.

Se o programa de rádio não trouxesse boa sorte, o *Daily Times* publicou a história na semana seguinte com uma manchete que dizia: "Abandono escolar com um traço de gênio". A matéria tinha uma foto minha fingindo conectar os fios à bateria do meu quarto, ainda incapaz de tirar o sorriso do rosto. Naquela tarde, levei o jornal ao centro comercial para mostrar a todos o que o louco tinha feito.

– Também ouvimos você no rádio – disseram eles. – Ficamos muito impressionados como você falou bem.

De certa forma, foi necessário que esses repórteres viessem à minha casa para fazer nossa cidade finalmente aceitar meu moinho de vento. Após a cobertura da mídia, o número de visitantes em minha casa aumentou dez vezes.

Pouco depois, comecei algumas melhorias muito necessárias no moinho de vento. Percebi que a grande mangueira atrás da latrina estava bloqueando o vento mais forte, e eu precisava ir mais alto. Meu pai, com o *Daily Times* debaixo do braço, foi capaz de convencer o gerente da fábrica de tabaco a me entregar vários mastros gigantes, que usei para construir uma torre de dez metros de altura. Depois que a afastei da mangueira, a velocidade das minhas pás dobrou, assim como a voltagem.

No dia seguinte ao da publicação do artigo do *Daily Times*, um malauiano de Lilongwe chamado Soyapi Mumba levou o artigo para seu escritório. Soyapi trabalhava como engenheiro de *software* e codificador na Baobab Health Partnership, uma organização americana de caridade que trabalhava para informatizar o sistema de atendimento de saúde do Malaui. Um dos colegas de Soyapi, um americano alto chamado Mike McKay, gostou tanto do artigo sobre meu moinho de vento que escreveu sobre mim em seu blogue, Hacktivate. Essa postagem chamou a atenção de Emeka Okafor, um famoso autor e blogueiro nigeriano, que também é o diretor de programação de algo chamado Conferência TED Global.

Bem, Emeka queria que eu me inscrevesse para ganhar uma bolsa oficial nessa conferência e, por três semanas, tentou incansavelmente me encontrar. Depois de assediar os repórteres do jornal todos os dias, ele finalmente localizou o dr. Mchazime.

Em meados de dezembro de 2006, o dr. Mchazime veio à minha casa com o requerimento e a papelada do TED. Sentamo-nos debaixo da mangueira, e ele me ajudou a responder a uma lista de perguntas, além de escrever um pequeno ensaio sobre minha vida. Quando ele saiu, eu ainda não tinha ideia do que era TED, embora agora eu saiba: significa tecnologia, entretenimento e *design* e é um encontro anual em que cientistas e inovadores compartilham suas grandes ideias.

Eu não tinha certeza do que era uma *conferência* ou o que as pessoas faziam nessas conferências. A inscrição nem dizia onde ela seria realizada. Suspeitei que seria em Lilongwe, a capital, mas não sabia. Eu me imaginei andando por aquelas ruas movimentadas e vendo todo tipo de pessoas desconhecidas. Que roupas precisaria vestir, eu pensei, já que tudo o que eu possuía estava pendurado em uma corda no meu quarto e coberto da poeira vermelha do telhado? Mesmo assim, isso me deu algo com que sonhar.

Na semana seguinte, o dr. Mchazime ligou para dizer que a TED me escolhera. A conferência seria realizada em Arusha, na Tanzânia – um país totalmente diferente.

– Você será homenageado com outros cientistas e inventores – ele disse. – Pessoas de todo o mundo estarão lá. Talvez algo bom possa vir disso.

Uau, Arusha! Quanto tempo levaria a viagem de ônibus? E se eu ficasse com fome? Teria que levar muita comida, talvez bolos e milho torrado. Afinal, eu estava sem dinheiro.

– Uma coisa importante – disse ele –, devemos reservar seu voo antes que ele fique lotado.

– Vou viajar de avião? *Meu Deus.*

– Sim, e eles desejam saber se você quer quarto de fumante ou de não fumante no hotel.

– Vou ficar em um hotel? – Eu pensava que com certeza ia dormir em uma daquelas hospedarias perto dos antros de bebida onde ficam os pobres.

– Claro que você vai ficar em um hotel – disse ele. – E tenho outra boa notícia: William, você vai voltar para a escola.

Depois de visitar minha casa com os repórteres, o dr. Mchazime procurou o governo para que me aceitasse em uma escola. Até fez uma coleta entre seus colegas para ajudar a pagar meu primeiro semestre.

O processo demorou meses. Finalmente, o Ministério da Educação me deu permissão para frequentar a escola secundária de Madisi, um internato público a uma hora de casa. Não era uma das escolas baseadas em ciências que eu ansiava frequentar. Os diretores desses lugares não estavam dispostos a me aceitar, por causa da minha idade avançada e do número de anos em que fiquei fora da escola.

No entanto, o diretor de Madisi, sr. Rhonex Banda, ficou tão comovido com a minha história que se ofereceu para passar o tempo extra comigo, ajudando-me a recuperar o atraso. Eu estava terrivelmente atrasado.

Enquanto o dr. Mchazime planejava minha viagem para Arusha, arrumei minhas coisas e fui para a escola. Foi a primeira vez que morei longe de casa. Na minha mala, levei uma escova e pasta de dentes, chinelos, um cobertor e todas as minhas roupas sujas. Carreguei a mala através do pátio e parei sob a mangueira, onde Geoffrey e meus pais me esperavam.

– Acho que verei vocês em breve – disse a eles.

– Trabalhe duro – disse meu pai. – Quero que você saiba que estamos muito orgulhosos.

Geoffrey amarrou minha mala em sua bicicleta e fomos até a parada de caminhões. No caminho, eu disse adeus a Gilbert.

– Não temos telefones. Então como vamos nos falar? – ele perguntou.

– Vai ser difícil – eu disse.

– Talvez eu possa visitar você lá.

– Oh, Gilbert, seria ótimo. Por favor, faça isso.

– Sentirei sua falta, amigo.

– Claro que sim.

Uma picape logo apareceu em uma nuvem de poeira. Geoffrey acenou para o motorista.

– Vejo você quando as aulas acabarem – disse ele. – Quando chegar, encontre alguém com um telefone e envie-me o número. Vamos conversar assim, e vou garantir que estarei lá.

– Isso seria bom – eu disse. – Cuide do meu moinho de vento. Você poderia? Deixe-me saber tudo o que acontecer.

– Claro, claro, não se preocupe.

Subi a bordo com os outros passageiros, encontrei um saco de carvão como assento, e rolamos em direção a Kasungu. Uma vez lá, peguei um micro-ônibus pela rodovia M1 para a pequena cidade de Madisi. O micro-ônibus me deixou em um cruzamento na periferia da cidade, onde uma longa estrada levou à escola. Eu andei um quilômetro com minha mala saltando para trás na estrada de cascalho, até que eu estava do lado de fora os portões. Em questão de minutos, eu tinha um dormitório e companheiros de dormitório, horários das refeições e uma programação rigorosa de aulas. Tudo era novo e estranho e um pouco opressor – mas, meu Deus, que prazer foi aprender em uma verdadeira escola!

As salas de aula em Madisi tinham telhados sólidos que não vazavam e pisos de concreto lisos e sem manchas. Grandes janelas deixavam entrar a luz do sol, mas protegiam do frio. Tive uma escrivaninha de verdade, completa com porta-lápis. Durante as sessões de estudo à noite, luzes fluorescentes reais zumbiam acima de mim, pelo menos quando não havia um apagão.

A aula de ciências era realizada em um laboratório de química, onde as prateleiras estavam cheias de microscópios, bobinas gigantes de fio de alta resistência, provetas de vidro e potes velhos de ácido bórico. Se você pode acreditar, uma das primeiras lições de ciências era como a corrente passa por uma campainha elétrica. Eu já aplicara esse conceito com meu moinho de vento e circuito disjuntor, mas, explicado em termos científicos – e em inglês –, foi como ouvi-lo pela primeira vez.

Mas, como todas as outras escolas do Malaui, Madisi confiou no governo para sobreviver. Ao contrário de alguns dos internatos de prestígio, isso havia sido esquecido. Os equipamentos do laboratório de ciências eram em sua maioria velhos e não funcionavam mais. Os produtos químicos estavam vencidos e eram perigosos, os microscópios estavam enferrujados e arranhados. Para a aula da campainha elétrica, não tínhamos baterias para fornecer energia.

– Se alguém tiver uma extra em seu quarto, ficarei feliz em demonstrar – disse a professora.

Como ninguém tinha, usamos a imaginação.

Nossos dormitórios também estavam sujos, e as paredes, cobertas de grafites. Como os mictórios do banheiro não funcionavam, os novos alunos (ou seja, eu) tinham de limpá-los todos os dias para conter o cheiro. Os quartos eram tão apertados que cada um tinha que compartilhar sua cama com outro menino. Meu companheiro de cama era um cara chamado Kennedy, que nunca lavou suas meias.

– *Eh*, cara, você precisa lavar os pés antes de vir para a cama – eu disse a ele.

– Desculpe – disse ele. – Vou lavar amanhã, prometo.

Mas ele nunca o fez. Muitas vezes eu acordava com seus pés tocando minha boca.

E, porque eu era anos mais velho do que todo mundo, alguns alunos me provocavam.

– Quantos filhos você deixou para trás no campo, velho?

– Dois meninos – eu disse – e mais um a caminho. Talvez chegue no próximo mês.

– Ele se acha engraçado – disseram. – Ele está gastando muito tempo com suas vacas.

Um dia resolvi acabar com a provocação de uma vez por todas. Tirei o artigo de jornal sobre meu moinho de vento e bati com ele na mesa.

– Aqui – eu disse. – Era isso o que eu estava fazendo.

Meus companheiros de dormitório ficaram impressionados.

– Bom trabalho, cara! – disseram.

Depois disso, ninguém mais me provocou.

Honestamente, isso realmente não me incomodava. Porque, depois de cinco anos de evasão, estava grato por estar na escola. No entanto, fiquei com saudades de casa e, sempre que isso acontecia, eu me escondia na biblioteca da escola, onde os livros enchiam fileiras e mais fileiras de prateleiras. Eu encontrava uma cadeira e estudava meus livros de geografia, estudos sociais, biologia e matemática. Eu me perdia na história americana e africana e nos mapas coloridos do mundo. Não importa quão estrangeiro e solitário fosse o mundo lá fora, os livros sempre me lembravam de casa, sentado sob a mangueira.

Enquanto eu frequentava a escola em Madisi, o dr. Mchazime estava ocupado fazendo arranjos para Arusha. Ele me ajudou a conseguir um passaporte, e até levei mais uma camisa branca e calças pretas. Eram as roupas mais bonitas que já tive. Ele também me deu conselhos úteis para viagens. Por exemplo, em um avião, seria atribuído um assento que era meu e apenas meu. Não havia necessidade de pressa e uso dos cotovelos, como as pessoas faziam nos ônibus do Malaui. Além disso, se a luz vermelha estava acesa perto do banheiro, isso significava que estava ocupado; e, porque alguns passageiros enjoam em sua primeira viagem de avião, cada assento vinha com um saco de papel para vômito. Esta foi uma boa informação, porque eu tinha certeza de que ia precisar.

Em junho, saí da escola e voltei para casa, para fazer as malas. Na manhã seguinte, um motorista apareceu para me levar ao aeroporto em Lilongwe.

– Nosso filho está nos deixando e viajando de avião – meu pai disse a minha mãe, sorrindo.

– Isso mesmo – eu disse. – Voando como um pássaro no céu. Estarei acenando quando passar.

– Estaremos observando você. Você nos verá aqui.

Meu pai então enfiou um saco de amendoim torrado no meu bolso. Ainda estavam quentes.

Naquela noite, eu estava tão nervoso que fiquei acordado no meu hotel assistindo ao futebol no Super Sport 3 até o sol nascer e ser hora de ir embora.

No avião, não pude acreditar, mas, sentado ao meu lado, estava ninguém menos que Soyapi Mumba, o engenheiro de *software* de Lilongwe que vira meu artigo. Como ele é um cara legal, ele se apresentou sem saber quem eu era. Quando eu lhe disse meu nome e para onde estava indo, ele perguntou:

– Oh meu Deus, William, o cara do moinho de vento?

Ele me contou que estava animado para mostrar a história a Mike McKay, que escrevera sobre mim no blogue Hacktivate. Soyapi, a razão pela qual alguém já ouvira falar de mim, agora estava ali, sentado ao meu lado no avião! Soyapi também era um bolsista TED e seria homenageado por seu trabalho de codificação do Baobab. Era muita sorte encontrá-lo.

Enquanto o avião taxiava na pista, comecei a observar os outros sentados ao meu redor. Eles pareciam tão bem vestidos e confiantes, como se tivessem coisas importantes a fazer e sua vida exigisse que viajassem em jatos ao redor do mundo. Conforme o avião acelerou e levantou o nariz no ar, pressionei a cabeça contra o encosto da poltrona e ri.

Agora também era um deles.

O encontro com Tom na TED

Depois de chegar a Arusha, peguei um ônibus para Ngurdoto Mountain Lodge, onde a conferência estava sendo realizada. Quando o ônibus saiu do aeroporto, olhei pela janela para ver se a Tanzânia era diferente do Malaui, mas o que vi foi muito semelhante: a rodovia estava cheia de micro-ônibus apinhados de gente, e um caminhão gigante vomitou fumaça e desviou para não atropelar um velho em uma bicicleta. Crianças em trapos vendiam cigarros à beira da estrada, enquanto alunos em uniformes coloridos caminhavam para a escola atravessando a poeira. Mulheres das aldeias equilibravam cestas de vegetais na cabeça, e agricultores cuidavam de seus campos.

Mas, ao contrário do Malaui, Arusha tinha árvores – e não apenas isso. Depois de alguns minutos, o motorista do ônibus apontou a distância e disse:

– Vejam. O Kilimanjaro, a maior montanha da África.

O Monte Kilimanjaro parecia ainda mais grandioso e majestoso do que nos livros, com fitas brancas de neve descendo do pico e envolto em uma fina camada de nuvens. Era difícil imaginar que pessoas comuns como eu subiam até o topo, mas eu sabia que era verdade. Na minha cabeça, comecei a fazer uma lista de todos os outros lugares do mundo que eu queria ver.

Aquela montanha me encheu de confiança, mas tudo pareceu desaparecer assim que cheguei ao hotel. O saguão era uma cena de caos e confusão, cheio de pessoas brancas falando inglês e africanos com estranhos sotaques estrangeiros. Todos conversavam em seus telefones celulares em voz alta e estrondosa. Rezei para que ninguém quisesse falar comigo e, depois de me registrar no centro de recepção, caminhei para o canto da sala e tentei desaparecer.

Não tive essa sorte. Depois de alguns minutos, um homem se aproximou e estendeu a mão. Tinha cabelo ruivo e usava óculos verdes e púrpura.

– Olá, bem-vindo à TED – disse ele. – Meu nome é Tom. Quem é você?

Eu tinha ensaiado apenas uma frase de inglês, e então a soltei:

– Sou William Kamkwamba e sou do Malaui.

Ele me olhou com estranheza. Talvez eu tivesse dito isso em *chichewa*.

– Espere um minuto – disse ele. – Você é o cara do moinho de vento.

Tom Rielly estava encarregado de organizar todos os patrocinadores da TED, inclusive aqueles que tinham pagado minha passagem aérea e meu hotel. Meses antes, em Nova Iorque, Emeka – o blogueiro nigeriano – havia contado a Tom sobre meu moinho de vento. "Você nunca vai acreditar nessa história", ele havia dito. Mas Tom não sabia que Emeka tinha procurado debaixo de cada pedra no Malaui para me encontrar.

Depois de conversar um pouco, Tom me perguntou se eu queria contar minha história no palco, diante de todo mundo.

Dei de ombros. *Por que não?*

– Você tem um computador? – ele perguntou.

Balancei a cabeça.

– Você tem alguma foto do moinho de vento?

Isso eu tinha. Um amigo do dr. Mchazime havia visitado Madisi algumas semanas antes e ajudara a preparar uma apresentação caso eu precisasse. Tinha feito isso em seu *laptop* – embora na época eu não tivesse ideia de que isso fosse um computador. Para mim, os computadores eram grandes como televisores e ligados em uma parede.

Antes de sair, esse homem tinha me entregado um cubo estranho – um *flash drive* – preso a um cordão e dissera:

– Use isso no pescoço. É sua apresentação.

Então, quando Tom me perguntou sobre minhas fotos, entreguei a ele o cubo. Ele o conectou a outro *laptop* e disse:

– Vou apenas copiar para o meu computador.

Foi então que percebi o que era um *laptop*. *É um computador portátil*, pensei. *Que boa ideia!*

Sentindo meu prazer com essa descoberta, Tom me perguntou:

– William, você conhece a internet?

O quê?

– Não – eu disse.

Tom me acomodou em uma sala de conferências silenciosa e me apresentou essa ferramenta incrível.

– Este é o Google – disse ele. – Você pode encontrar respostas para qualquer coisa. O que você quer procurar?

Essa foi fácil.

– Moinho de vento.

Em um segundo, ele encontrou cinco milhões de páginas de resultados – fotos e modelos de moinhos de vento que eu nunca tinha sequer imaginado que existissem.

Meu Deus, pensei, *onde estava esse Google quando precisei dele?*

Em seguida, encontramos um mapa do Malaui e uma foto de Wimbe, tirada de uma câmera no espaço sideral.

Hoje é engraçado lembrar que, naquela conferência, no leste da África, com alguns dos maiores inovadores de ciência e tecnologia do mundo do lado de fora da porta, eu estava vendo a internet pela primeira vez.

Tom me ajudou a configurar uma conta de *e-mail* e, para a semana seguinte, ele me apresentou uma série de tecnologias: *smartphones*, câmeras de vídeo e câmeras de 35 mm, até um iPod Nano, que virei várias vezes na mão antes de finalmente perguntar onde estava a bateria. (Não muito depois, eu já hackeava iPods e iPhones para consertá-los.)

Mas a coisa mais incrível sobre a TED não foram a internet, os *gadgets* ou mesmo o bufê de café da manhã com três tipos de carne, além de ovos, doces e frutas com que eu sonhava todas as noites. Foram os outros africanos que subiram ao palco e compartilharam suas visões de como fazer de nosso continente um lugar melhor.

Havia Corneille Ewango, um biólogo do Congo que arriscara a vida para salvar animais ameaçados de extinção durante a guerra civil do país; ele até enterrara seu motor Land Rover e equipamentos de laboratório para escondê-los dos rebeldes. Um homem da Etiópia inventara uma espécie da geladeira que funcionava usando a evaporação da água na areia. Outros eram médicos e cientistas que usavam ideias e métodos criativos para combater a AIDS, a malária e a tuberculose. Até Erik Hersman estava lá – uma das primeiras pessoas, junto com Mike McKay, a escrever sobre meu moinho de vento em seu blogue Afrigadget. Filho de missionários, Erik foi criado no Quênia e no Sudão. O que ele disse resumiu perfeitamente o nosso povo:

– Onde o mundo vê lixo, a África recicla. Onde o mundo vê tralhas sem valor, a África vê renascimento.

No que diz respeito à minha apresentação, quando ouvi Chris Anderson, o anfitrião do evento, chamar meu nome bastante nitidamente, minhas pernas se recusaram a trabalhar.

– Não se preocupe – sussurrou Tom, apertando levemente meu ombro. – Respire fundo.

Meu coração batia rápido como um tambor *mganda* quando subi os degraus para enfrentar o público, de cerca de quatrocentas e cinquenta pessoas – todos os inventores, cientistas e médicos que compartilharam suas histórias e ideias nos dias anteriores. Eles agora me observavam. Quando cheguei ao palco e me virei, fiquei completamente cego. Luzes do teto atingiam meus olhos, tão brilhantes que eu nem conseguia pensar. Todas as palavras que preparei pareciam dançar ao som do tambor e se perder no clarão.

– Temos uma foto – disse Chris. Ele apontou alguma coisa atrás de mim, e apareceu uma foto gigante da casa dos meus pais. Vi as paredes de tijolos de barro, o telhado de palha, o claro céu azul. Podia sentir o sol.

– Onde é isso? – ele perguntou.

– Esta é a minha casa. É aqui que eu moro.

– Onde? Que país?

– No Malaui Kasungu – eu disse, então rapidamente corrigi. – Ah, Kasungu, Malaui. Minhas mãos começaram a tremer.

– Há cinco anos você teve uma ideia – disse Chris. – Que ideia foi essa?

– Quero fazer um moinho de vento.

Chris sorriu.

– Então o que você fez? Como realizou essa ideia?

Eu respirei fundo e dei o meu melhor.

– Depois que eu saí da escola, fui para a biblioteca e procurei informações sobre moinhos de vento...

Continue, continue...

– E eu tento e consigo.

Eu esperava que o público risse do meu inglês capenga, mas, para minha surpresa, tudo que ouvi foram aplausos. Não só batiam palmas, mas estavam de pé e davam vivas! Quando finalmente voltei para o meu lugar, notei que vários estavam até chorando.

Depois de todos aqueles anos de problemas – a fome e o medo por minha família, o abandono da escola, a morte de Khamba e a provocação que recebi quando tentava desenvolver minha ideia –, eu estava finalmente sendo reconhecido. Pela primeira vez na vida, senti que estava cercado por pessoas que entendiam o que eu fizera. Um enorme peso pareceu sair do meu peito e cair no chão da sala de conferências. Finalmente eu podia relaxar. Estava agora entre colegas.

Pelos próximos dias, eles faziam fila para me conhecer.

– William, posso tirar uma foto com você?

– William, por favor, junte-se a nós para o almoço!

Uma frase da minha apresentação até se tornou uma espécie de lema da conferência. Aonde quer que eu fosse, pessoas gritavam: "Eu tento e consigo!" Fiquei muito lisonjeado. Desejei que meus pais, Gilbert e Geoffrey estivessem lá para ver aquilo. Eles teriam ficado orgulhosos.

Quando conheci Tom, ele me perguntou o que eu esperava obter algum dia na minha vida. Eu lhe disse que tinha dois objetivos: permanecer na escola e construir um moinho de vento maior para irrigar as lavouras da família, para que nunca mais passássemos fome.

Basicamente, esse era o desejo de *todos* os malauianos. Mas Tom parecia confiante e, ao longo dos próximos dias, abordou muitos de seus amigos e colegas na conferência e lhes pediu ajuda. Quando a conferência terminou, ele tinha levantado dinheiro suficiente para me ajudar a começar. Estou muito grato a todos que me ajudaram e peço a Deus que abençoe todos eles.

Após a conferência, Tom voou de volta ao Malaui para conhecer minha família e me ajudar a matricular-me em uma escola melhor. Quando o táxi virou na estrada de terra em direção à minha casa, o moinho de vento surgiu ao longe, parecendo tão bonito! Como de costume, suas pás giravam rápido e faziam a torre balançar para a frente e para trás.

– É mais do que funcional – disse Tom. – William, isso é arte.

Andei com ele pela casa, mostrando-lhe a bateria e o farol de carro. Ele riu da pilha de partes de rádio e peças de trator no canto do meu quarto.

– Acho que todo grande inventor tem uma pilha de lixo em algum lugar – ele disse.

Também demonstrei os interruptores de luz, o disjuntor e a maneira como impermeabilizei a lâmpada externa. Para a luz da varanda, tudo que eu tinha eram luzes de Natal. Então esvaziei uma lâmpada incandescente normal e enfiei as lâmpadas de Natal lá dentro. Essa couraça servia tanto como um protetor contra o clima quanto como um difusor.

– Há mais coisas do que eu pensava – disse Tom.

Eu apenas ri. E nem tinha lhe contado da fome.

De volta a Lilongwe, Tom e eu visitamos o escritório da Baobab Health, localizado no Hospital Central de Kamuzu, para ver Soyapi e finalmente conhecer Mike McKay. A Baobab foi fundada em 2000 por um cientista de computação anglo-americano chamado Gerry Douglas, que inventou um novo tipo de *software* para ajudar hospitais do Malaui a registrar e tratar os pacientes de forma mais eficiente.

Como Gerry estava fora da cidade no momento de nossa visita, Mike e Soyapi nos levaram para conhecer a empresa. Mike começou me mostrando um pequeno *kit* de moinho de vento que eles esperavam usar para alimentar o ambulatório de uma aldeia. Seu gerador era um motor de esteira, que eu nunca vira. Ele enfiou uma furadeira em uma das extremidades do motor para fazê-lo girar, pegou os dois fios e os conectou a um voltímetro – um dispositivo incrível! O voltímetro mediu a potência do motor em quarenta e oito volts, quatro vezes mais forte que meu dínamo.

– O que você acha? – Mike perguntou.

– *Yah*, é legal.

Ele então me deu os dois de presente.

– Oh, obrigado! – eu disse. A abertura no céu estava ficando cada vez maior.

Mike e Soyapi também me apresentaram as baterias de ciclo profundo. Em comparação com a minha bateria de carro, elas fornecem uma corrente mais estável por longos períodos de tempo. Como eu queria experimentar uma delas, Tom e eu fomos ao escritório da Solair, um revendedor local de energia solar. Compramos duas baterias e quatro lâmpadas solares, além de lâmpadas que economizam energia e materiais para iluminar toda a nossa propriedade.

Os trabalhadores chegaram à minha aldeia na semana seguinte, e em três dias substituímos a fiação velha, cavamos trincheiras para enterrar os cabos e instalamos luminárias e plugues adequados (embora eu tenha mantido meus velhos interruptores apenas por diversão).

Com um fio de qualidade, um conduíte de plástico e linhas enterradas, nunca mais teríamos que nos preocupar com incêndios. Por precaução, também coloquei um para-raios no topo do moinho de vento. Uma vez concluído o trabalho, havia uma lâmpada para cada cômodo, além de duas externas.

Também instalei painéis solares no telhado para ajudar a armazenar eletricidade quando não havia vento. Nos dias de hoje, cada casa na minha aldeia tem um desses painéis, com uma bateria para armazenar energia.

Com todas as casas iluminadas, a aldeia finalmente brilhava à noite.

Depois de ser recusado por várias escolas por causa da minha idade, finalmente fui aceito na African Bible College and Christian Academy (ABCCA), em Lilongwe, dirigida por missionários presbiterianos. O diretor, Chuck

Wilson, era um americano da Califórnia, e minha professora, Lorilee Maclean, era do Canadá.

Embora eu estivesse atrasado em relação aos outros alunos, a sra. Maclean e o sr. Wilson concordaram em me admitir. Mas a sra. Maclean tinha uma condição: quando saísse da escola todos os dias, eu não voltaria para minha casa pobre.

Tinha que encontrar um lugar onde morar em Lilongwe.

Como eu não tinha parentes na cidade, Gerry me ofereceu um quarto em sua casa. Eu tinha minha própria cama e uma mesa para estudar, e a empregada Nancy preparava bastante *nsima* para eu não sentir saudade de casa. Tudo foi ótimo, mas, porque estávamos na cidade, tínhamos cortes de energia várias vezes por semana. Depois de toda aquela dificuldade para levar eletricidade para a minha aldeia, ali estava eu sentado no escuro.

— Você devia carregar um moinho de vento aonde quer que vá — Gerry brincou.

Com o tempo, Gerry se tornou um grande amigo e professor. Quando ainda morava na Inglaterra, ele pilotava aviões e trabalhava como mecânico de helicópteros, de modo que eu sempre lhe fazia perguntas sobre motores e coisas do tipo. Às vezes, depois do jantar, ele me explicava como os helicópteros funcionavam, como a rotação das pás capturava o vento para levantar aquelas máquinas pesadas e como os rotores traseiros os impediam de girar em círculos.

Gerry também me ajudou com meu inglês, particularmente meus Ls e Rs — algo com que nós, falantes de *chichewa*, sempre nos confundíamos. Essas aulas às vezes eram dadas diante do espelho do banheiro, para que Gerry pudesse demonstrar.

— Ok, William, observe minha língua e diga "biblioteca".

— Bibrioteca.

— Biblioteca.

— Bibrioteca.

— Você vai conseguir.

Minha classe na ABCCA usava o currículo de ensino a distância da América que aprendíamos pela internet. Apenas alguns meses antes, eu nunca tinha entrado na web e agora a usava todos os dias para falar com professores no Colorado.

No começo, eu tinha vergonha do meu péssimo inglês, especialmente depois de ouvir crianças de cinco anos falar frases melhores. Durante meus primeiros dias, fiquei bastante deprimido. Mas meu tutor, um malauiano chamado Blessings Chikakula, encorajava-me.

O sr. Blessings também tinha vindo de uma aldeia pobre perto de Dowa, tão pobre que já tinha trinta anos quando conseguiu obter um grau acadêmico. E agora trabalhava na ABCCA como professor.

– Não desanime e não desista só porque é difícil – disse-me o sr. Blessings. – Tudo o que você quiser, se o fizer de todo o coração, vai acontecer.

Posteriormente, o dinheiro dos meus doadores da TED me permitiu ajudar minha família de muitas outras maneiras. Substituí os telhados de palha por chapas de ferro. Comprei colchões para que minhas irmãs não tivessem que dormir no chão de terra, além de baldes de água com tampa para proteger das pragas o nosso suprimento de água. Comprei cobertores melhores para nos manter aquecidos à noite, no inverno; pílulas para malária e mosquiteiros para a estação das chuvas; e enviei todos da minha família ao médico e ao dentista.

E pela primeira vez finalmente consegui retribuir a Gilbert toda a ajuda que ele me dera. Vários anos antes, o pai de Gilbert tinha morrido, e ele tivera que abandonar a escola por falta de dinheiro. Então, com minhas doações, coloquei Gilbert de volta na escola, junto com Geoffrey e vários outros primos que haviam desistido de estudar durante a fome. E até paguei as mensalidades dos filhos dos vizinhos.

E, depois de anos sonhando com isso, finalmente fui capaz de perfurar um poço profundo, o que deu à minha família água potável. Minha mãe disse que isso lhe tinha poupado duas horas por dia transportando água do poço público. Usando uma bomba movida a energia solar, enchi dois tanques gigantes e canalizei água para o campo do meu pai.

A irrigação nos permitiu plantar uma segunda safra de milho. O galpão de armazenamento nunca mais ficaria vazio. A torneira do poço também podia ser usada por todas as mulheres em Wimbe gratuitamente. É a única água corrente em quilômetros ao redor, e cada dia dezenas de mulheres vêm à minha casa para encher seus baldes com água limpa e fresca sem ter que bombear.

Durante minhas férias escolares, construí um moinho de vento maior para bombear água, o qual chamei de Máquina Verde, por causa de sua cor. Essa bomba agora está instalada acima do poço raso de casa e irriga uma horta onde minha mãe cultiva espinafre, cenoura, tomate e batatas, tanto para alimentar a família como para vender no mercado.

Finalmente, o sonho foi realizado.

Minha família não poderia ter imaginado que o pequeno moinho de vento que construí durante a fome mudaria totalmente sua vida, uma mudança que eles viam como um presente do céu. Sempre que eu voltava para casa aos fins de semana, meus pais tinham um novo apelido para mim. Eles me chamavam de Noé – como o homem na Bíblia que construiu a arca, salvando sua família do dilúvio enviado por Deus.

– Todos riram de Noé, mas veja o que aconteceu – minha mãe disse.

Meu pai concordou.

– Você nos colocou no mapa. Agora o mundo sabe que estamos aqui.

Em dezembro de 2007, fui aos Estados Unidos para ver os moinhos de vento da Califórnia, exatamente os do livro que eu tinha em casa. Pousei em Nova Iorque bem no meio do inverno, vestindo apenas um suéter. Pouco depois, a funcionária da companhia aérea me informou que eles haviam perdido toda a minha bagagem.

– Vamos ligar para você – disse ela.

Hã? Eu nem tinha telefone.

Alguns amigos de Tom me encontraram no aeroporto. Quando o táxi partiu, finalmente vi a grande cidade americana sobre a qual eu lera muito. Percorremos vias suaves com várias pistas em cada direção, passando por pontes sem água embaixo, seguidas por mais vias e mais pontes. Ao longe, os edifícios altos pareciam tão grudados que era difícil imaginar pessoas caminhando entre eles, muito menos construindo-os.

Tom morava em um desses edifícios em Lower Manhattan. Seu apartamento ficava no trigésimo sexto andar, e eu me perguntei como conseguiríamos chegar lá em cima. Um de seus amigos então me mostrou o elevador.

– O que é isso? – perguntei.

Apertei o botão e em dez segundos estava trinta e seis pisos mais perto do céu. Eu já tinha muitas perguntas.

Tom me cumprimentou calorosamente. Seu apartamento era cercado por janelas, como se você pudesse andar pela borda. Antes daquele dia, o mais alto que já estivera, além de um avião, era o topo do meu moinho de vento. Levei algum tempo para me acostumar e, naquela noite, tive dificuldade para dormir.

No dia seguinte, peguei o metrô, onde vi as pessoas entrar pelos portões usando cartões de dinheiro – outra ótima ideia. As calçadas de Nova Iorque me deixaram exausto, com centenas de pessoas correndo em todas as direções. Uma das coisas que notei em Nova Iorque é que as pessoas não têm tempo para nada, nem mesmo para sentar para tomar um café – em vez disso, bebem em copos de papel enquanto caminham e enviam mensagens de texto. Às vezes, vêm direto na nossa direção e nos atropelam.

Visitando a cidade, comecei a me perguntar como os americanos podiam construir um arranha-céu em um ano, quando em quatro décadas de independência o Malaui não conseguia nem levar água potável para uma aldeia. Podíamos enviar aviões bruxos para os céus e caminhões fantasmas ao longo das estradas, mas não conseguíamos nem manter eletricidade em nossas casas. Sempre parecíamos estar lutando para recuperar o atraso. Mesmo com tantas pessoas inteligentes e trabalhadoras, ainda vivíamos e morríamos como nossos ancestrais.

Na semana seguinte, voei para a Califórnia e visitei o San Diego Wild Animal Park – onde vi girafas, hipopótamos e elefantes pela primeira vez. Imaginem que há apenas meia hora da minha casa em Wimbe ficava o Parque Nacional Kasungu, onde todos esses mesmos animais viviam na selva. Mas precisei voar milhares de milhas até a América para finalmente os ver de perto. Não pude deixar de rir.

Mas, de todos os lugares que conheci, nada me impressionou mais do que os moinhos de vento de Palm Springs.

Por um momento, assim que entrei no "parque eólico", senti que estava de volta à minha casa. O cenário era familiar: exuberantes planícies verdes e montanhas ao longe, tudo isso envolto em um céu azul-claro. Mas agora, naquele espaço vazio entre mim e as colinas, eram quilômetros e quilômetros de moinhos de vento. Mais de seis mil deles, brotando do chão como árvores mecânicas gigantes.

Os troncos brancos redondos eram como desenhos animados que eu tinha visto na televisão, tão grandes que neles caberia toda a casa da minha família. Olhando para cima, vi as pás de trinta metros girar lentamente, como brinquedos de Deus. Cada um tinha sessenta metros de altura e envergadura maior que a do avião que me trouxera para a América. O engenheiro-chefe do parque me levou para dentro de uma das máquinas, onde telas de computador ofereciam todos os tipos de informação.

No total, o parque eólico produzia mais de seis mil megawatts, que eram entregues a milhares de casas por cabo subterrâneo. Em comparação, apenas seiscentos megawatts poderiam iluminar todo o Malaui, com energia de sobra. Na época, a EFEM produzia apenas duzentos e vinte e quatro megawatts.

Foi uma sensação incrível ver as máquinas que imaginara por tanto tempo. Agora ali estavam elas, girando ao vento diante de mim. Percebi que eu tinha percorrido um ciclo completo. As fotos do livro me forneceram a ideia, a fome e escuridão me deram a inspiração, e embarquei naquela longa e incrível jornada. Parado ali, esperei uma orientação. O que faria a seguir? O que estava no meu futuro? Olhando através do campo de moinhos de vento, vi que as montanhas pareciam tombar e dançar junto com as pás giratórias.

Eles pareciam estar me dizendo algo – que eu não precisava decidir imediatamente. Poderia voltar para a África e retornar à escola. Depois disso, quem sabe? Talvez eu pudesse estudar essas máquinas, aprender a construí-las e então plantar minha própria floresta de árvores mecânicas no Malaui. Talvez pudesse ensinar as pessoas a construir máquinas simples, como a que eu tinha em casa, para que elas pudessem ter sua própria luz e sua própria água. Talvez eu fizesse as duas coisas. Em tudo o que eu decidisse fazer, uma lição estaria sempre comigo:

Se você quiser fazer isso, tudo de que você precisa é tentar.

Epílogo

No Natal de 2007, quando eu viajava pela América, recebi notícias maravilhosas. Recebi uma oferta de bolsa de estudos para a Academia de Liderança Africana (ALA), uma emocionante nova escola que estava sendo inaugurada em Johannesburgo, África do Sul. Seus alunos foram escolhidos entre os cinquenta e três países da África com o objetivo de treinar a próxima geração de líderes do continente. Dos mil e setecentos alunos que se inscreveram, apenas cento e seis foram selecionados. Muitos eram empreendedores e inventores como eu que superaram sofrimentos e estavam melhorando a vida de suas famílias e seus vizinhos. Outros eram simplesmente as crianças mais inteligentes de seus países, tendo obtido as notas mais altas em seus exames nacionais.

Em agosto, fui para casa fazer as malas e dizer adeus mais uma vez à minha família. Na manhã seguinte, embarquei em um avião para Johannesburgo e iniciei o capítulo seguinte da minha vida. Embora tivesse me esforçado muito na minha escola em Lilongwe, ainda estava atrasado em inglês e matemática. As aulas na ALA eram tão difíceis como eu tinha imaginado, e o primeiro ano foi de luta. Nos momentos em que minha confiança afundava, eu sonhava acordado com minha aldeia e seus confortos simples. Sentia muita saudade de casa.

Mas, gradualmente, melhorei. E, quando meu estado de espírito melhorou, comecei a perceber que lugar incrível eu havia encontrado. O *campus* da escola era lindo – com árvores gigantescas, exuberantes campos de futebol e pavões que desfilavam pelo gramado. Mas a melhor parte da ALA foram os muitos amigos que fiz, pessoas que, apesar da pouca idade, já haviam levado vidas extraordinárias.

Miranda Nyathi era de KwaZakhele, África do Sul. Durante uma grande greve de professores que fechou escola, ela começou a ensinar os alunos sozinha – dando aulas de matemática, ciências e geografia para que a educação de ninguém fosse interrompida. Meu amigo Paul Lorem era um "menino perdido" no Sudão que sobreviveu à guerra civil do país e vivia sem os pais em um campo de refugiados. O mesmo tinha acontecido com meu colega Joseph Munyambanza, que escapou da guerra do Congo e vivia em um acampamento em Uganda, onde frequentou a escola em uma tenda.

Pela primeira vez na vida, eu estava cercado por pessoas de diferentes origens e culturas, e muitas delas falando sua própria língua. Aprendi suaíli conversando com meu colega de quarto queniano, Githiora, e meus outros amigos do Quênia e da Tanzânia. Meus colegas do Zimbábue me ensinaram *shona*, e até aprendi um pouco de árabe com os alunos marroquinos.

Além de ter aulas de liderança e empreendedorismo (que adorei), éramos obrigados a fazer trabalho voluntário na comunidade próxima. Meus colegas e eu ajudamos um orfanato local cuidando de seu jardim. Os vegetais serviam para alimentar as crianças e vender nos mercados, para que elas pudessem comprar roupas e outros itens. Eu era particularmente bom nesse projeto porque, além de ser um inventor, tinha sido antes agricultor.

Nunca esquecerei o dia da formatura. Pela primeira vez, meus pais embarcaram em um avião e deixaram o Malaui. Quando pousaram em Johannesburgo – com suas luzes brilhantes, sua agitação e pessoas falando línguas estrangeiras –, eu não sabia se eles ficariam felizes ou, apavorados, voltariam correndo para o avião. O que ajudou foi Geoffrey e o sr. Blessings também terem vindo para lhes dar apoio e compartilhar a aventura. Pouco depois, eles estavam todos rindo e maravilhados com aquela moderna cidade africana.

No dia da formatura, meu pai parecia muito orgulhoso. Quando me viu vestido de toga e capelo, seu peito estufou, e um sorriso se espalhou por seu rosto. Ele chamou minha mãe.

– Veja nosso filho. Apesar de todos os nossos problemas, ele conseguiu.

– Sim – ela disse. – William, hoje você está fazendo seus pais muito felizes.

Enquanto tudo isso acontecia, eu também estava trabalhando no livro sobre minha vida. Meu amigo Bryan Mealer, um jornalista que trabalhou na África, veio morar comigo na minha aldeia por vários meses. Ele e Blessings passaram dias entrevistando a mim e meus parentes, assim como todos em

Wimbe que sabiam alguma coisa sobre mim. No final de cada dia, nós nos sentávamos juntos e colocávamos todas as histórias no papel. Mesmo depois de tudo que passei, escrever um livro parecia uma conquista incrível.

O menino que descobriu o vento foi publicado pela primeira vez em setembro de 2009. Para divulgar minha história, Bryan e eu embarcamos em nossa aventura pela América, que incluiu uma dúzia de cidades e quinze voos diferentes. Falamos em escolas, salas de leitura, livrarias e até aparecemos no rádio e na televisão. Em todas as cidades que visitamos, fiquei muito encorajado com o grande número de jovens que compareceram aos nossos eventos.

A maioria tinha mais ou menos a mesma idade que eu quando construí meu moinho de vento, e alguns eram ainda mais jovens. Os pais que os traziam geralmente diziam algo como: "Da próxima vez que Billy reclamar de alguma coisa, eu lhe direi que aquele William quase morreu de fome!". Isso me fez rir, mas, realmente, as crianças me diziam que tinham gostado do livro porque fazia a ciência parecer legal. Também fazia o mundo parecer mais interessante do que qualquer coisa que eles já tinham visto na televisão. Fiquei muito feliz em ouvir essas coisas. Se alguém como eu tivesse visitado Kachokolo quando eu era estudante e falasse sobre ciência e experimentos, eu nunca o esqueceria.

Perto do final da turnê do livro, tive a felicidade de visitar o Dartmouth College em Hanover, New Hampshire. Eu andava visitando várias faculdades, tentando decidir qual seria a melhor para mim. Gostei de todas elas, mas Dartmouth foi a que mais me impressionou. Era uma das prestigiosas faculdades da Ivy League, situada às margens de um rio e cercada por olmos. Na Escola de Engenharia Thayer, fiquei encantado ao descobrir sua "biblioteca de ferramentas", onde os alunos podiam consultar instrumentos elétricos e baterias como se fossem livros. Além disso, a oficina estava lotada de todos os tipos de serras e *kits* de soldagem necessários para construir quase tudo. Eu mal podia esperar para contar a Geoffrey e Gilbert.

Além de ciências, eu também queria estudar história e política, aprender outros idiomas, como francês ou mandarim, e talvez até fazer cursos de pintura e teatro. Fui também encorajado pelo número de africanos que frequentavam a faculdade. Ao visitar o *campus*, falei suaíli com alguns estudantes de engenharia quenianos, que me disseram: "Venha para Dartmouth, irmão. Aqui você tem uma família". Estou feliz por ter seguido o conselho deles, porque os quatro anos seguintes foram alguns dos melhores da minha vida.

Não vou dizer que a faculdade foi fácil. Como na ALA, o primeiro ano foi tão desafiador que muitas vezes fiquei desanimado. Às vezes, era como escalar um penhasco íngreme. Mas, com a ajuda de meus conselheiros e tutores, e muito tempo estudando e lendo, meu segundo ano foi muito melhor. No terceiro ano, era eu quem ajudava os outros alunos.

Mas nem todo o tempo era gasto na sala de aula. Em Dartmouth, eles acreditam na aprendizagem por meio de projetos. E os laboratórios de engenharia eram os melhores lugares para experimentar. No meu primeiro ano, alguns colegas e eu construímos uma geladeira que não usava eletricidade, mas um intrincado sistema de bombas de água e aspiradores. Funcionou, mas nunca ficou tão gelada quanto queríamos, de modo que ainda ando brincando com esse projeto.

Outro dos meus projetos favoritos era uma espécie de máquina automática para carregar telefones celulares. Lembram-se de quando descrevi as tendas nas calçadas? O problema era que nelas era demorado para carregar, e a maioria das pessoas tem medo de deixar seus telefones. A máquina que inventamos permite que as pessoas bloqueiem com segurança os telefones enquanto estão sendo carregados. Primeiro, insere-se uma moeda para obter uma chave que desbloqueia um cofre do tamanho de um telefone e que tem sua própria fonte de alimentação. Então, basta plugar o telefone, trancar o cofre e voltar em algumas horas. O melhor de tudo é que a máquina é alimentada por painéis solares, permitindo que seja usada em qualquer lugar do mundo.

Agora que estamos em 2014 e me formei na faculdade, as pessoas estão me perguntando o que pretendo fazer da minha vida e onde vou morar. Claro, seria bom ficar nos Estados Unidos, encontrar um bom emprego no Vale do Silício ou em Nova Iorque e ganhar muito dinheiro. Mas isso não sou eu. Embora ame os Estados Unidos, tanto meu coração quanto o trabalho de minha vida pertencem à África. Vou passar mais um ano na empresa de *design* IDEO, em San Francisco, buscando um estágio para poder aprender mais sobre negócios e *design*, e depois disso estou indo para casa.

Tenho uma longa lista de projetos que quero começar no Malaui, e vários já estão em andamento. Depois da minha primeira aparição na TED, Tom e eu começamos um projeto sem fins lucrativos chamado Moving Windmills [Movendo Moinhos de Vento] para ajudar a financiar melhorias para as aldeias e a educação das crianças. Parte do dinheiro vem de doações, enquanto o resto eu ganho viajando pelos EUA, falando sobre minha vida.

Um dos meus principais objetivos para a Moving Windmills é reconstruir as escolas da minha região. Como mencionei anteriormente, as condições da Escola Primária de Wimbe e da Escola Secundária de Kachokolo eram terríveis. Não tínhamos escrivaninhas, livros ou suprimentos. As escolas estavam sem eletricidade e água limpa, as janelas não tinham vidros para proteger do frio, e os telhados vazavam quando chovia. A Escola Primária de Wimbe foi construída em 1950 e destinada a cerca de quatrocentos alunos, embora mais de mil e quatrocentos a frequentassem quando eu era menino. No Malaui, o governo financia apenas alguns edifícios escolares, enviando dinheiro para pagar os salários e a moradia dos professores.

Vocês podem imaginar como fiquei feliz em fazer uma parceria entre a Moving Windmills e uma organização americana chamado buildOn.org para ajudar a reconstruir a Escola Primária de Wimbe. Com sede em Stamford, Connecticut, a buildOn.org tem duas partes. A primeira ajuda alunos americanos do ensino médio a se envolverem em serviços comunitários, como limpar os bairros da vizinhança, voluntariar-se em lares para idosos e cozinhas humanitárias, aulas particulares, e assim por diante. Mas também atua junto às comunidades para ajudar a construir escolas em países pobres através do mundo. Desde 1992, a organização construiu quase seiscentas escolas no Haiti, na Nicarágua, no Mali, no Nepal, no Senegal e no Malaui.

Começamos a trabalhar em Wimbe em 2010, durante uma de minhas férias escolares. Era importante ter a comunidade envolvida para que todos sentissem que compartilhavam a propriedade. Homens locais fizeram todos os tijolos, e o resto dos materiais de construção vieram do interior do Malaui. Em 2014, construímos quatro novos blocos escolares com duas salas de aula cada um – espaço suficiente para mais de duzentos alunos, cada um com sua carteira. E cada edifício é alimentado com luzes LED, painéis solares e baterias de ciclo profundo, permitindo que as crianças e seus pais fiquem acordados até tarde e estudem à noite.

Ler também é muito mais divertido lá. Graças à Fundação Pearson, adicionamos dez mil novos livros à biblioteca onde aprendi ciências. A sra. Sikelo agora tem tantos livros que os está compartilhando com outras escolas do distrito.

E quanto a Kachokolo – as pessoas me perguntam se estou amargurado com eles por me expulsarem, mas não estou. Na verdade, não muito tempo atrás, voltei lá e instalei energia solar em todo o complexo. Também instalamos computadores conectados a um programa chamado eGranary, que entrega as maravilhas da internet em locais sem uma conexão de rede. É chamado de "internet em uma caixa" e dá às pessoas acesso gratuito a mais de três mil *sites*, cinquenta mil livros e mais de uma centena de programas educacionais e de *softwares*. Nós até o conectamos a uma rede Wi-Fi para que todos na região que possuam um *smartphone* possam usá-lo vinte e quatro horas por dia e sete dias por semana – especialmente crianças que não possam pagar por sua educação.

Mandei a maioria das minhas irmãs para uma escola particular. Doris e Aisha estão matriculadas na faculdade; Doris está estudando para se tornar enfermeira, e Aisha está se formando em desenvolvimento rural. As mais jovens estão aprendendo inglês e ensinando seus amigos. E também ajudei Gilbert a começar um pequeno estúdio de música e cinema em Kasungu.

Quanto a Geoffrey, ele ainda está em Wimbe. A mãe dele adoeceu recentemente e requer sua ajuda constante em casa e no campo. Mas isso também significa que ele pode ajudar meu pai, que está mais ocupado do que nunca. Graças às vendas de meu livro, fundei uma pequena empresa, um moinho de milho em Chamama que minha família supervisiona. E, como nossa lavoura agora está produzindo o dobro das colheitas, tive que comprar duas picapes para levar nossas safras ao mercado. Como também estou tentando criar uma empresa de transporte, durante meu último ano em Dartmouth encomendei pela internet no Japão um micro-ônibus que agora transporta pessoas na principal rodovia do Malaui. Minha esperança é criar o primeiro serviço de transporte a partir do Aeroporto Internacional de Kamuzu, em Lilongwe. Por enquanto, só temos táxis e micro-ônibus empoeirados, onde você provavelmente terá que compartilhar seu assento com uma cabra ou com galinhas.

Esses negócios são principalmente uma maneira de sustentar minha família, e eles farão a maior parte do trabalho. Porque, quando chegar em casa, estarei focado em coisas muito maiores. Por um lado, ainda me dedico a levar água e eletricidade ao meio rural pobre. Já tenho projetos do tipo faça você mesmo para furar poços de água, assim como para construir moinhos de vento e sistemas de bateria para fornecer eletricidade. Além de acessíveis, quero ter certeza de que também possam ser consertados com ferramentas simples do dia a dia, como peças de automóveis, para que as aldeias possam mantê-los funcionando.

Espero fazer desses projetos os carros-chefes para um centro de inovação que quero abrir em Lilongwe. Será um lugar onde inventores e *designers* poderão compartilhar e desenvolver ideias, consultar engenheiros e outros profissionais e receber financiamento. Eu o modelei com base no iHub de Nairóbi, fundado por outros bolsistas TED, que tem se focado no crescimento da comunidade de alta tecnologia do Quênia com grande sucesso. Mas, em vez de criar coisas como *softwares* e aplicativos para celulares, nosso centro usará a tecnologia faça você mesmo para dar aos africanos acesso a água limpa, eletricidade, habitação e maneiras de ganhar dinheiro. As portas estarão abertas para homens e mulheres de todas as idades, mas minha esperança é atrair jovens estudantes como eu, que podem ter uma ótima ideia, mas ninguém com quem a compartilhar.

Ao voltar para casa, quero inspirar a próxima geração de sonhadores.

Como os jovens representam mais da metade da população africana, o futuro do continente depende de suas energias e ideias, assim como do apoio que lhes damos. Mas minha história não é exclusivamente para eles. Para as crianças em outros lugares que estejam lendo este livro, seja em Chicago, Londres ou Pequim, quero que saibam que suas ambições, grandes ou pequenas, são importantes e merecem ser alcançadas. Muitas vezes as pessoas com as melhores ideias enfrentam os maiores desafios – seu país em guerra, falta de dinheiro, de educação ou apoio. Mas, como eu, elas optam por permanecer focadas, porque esse sonho – por mais distante que pareça – é a coisa mais verdadeira e mais promissora elas têm. Pense em seus sonhos e ideias como minúsculas máquinas milagrosas dentro de você que ninguém pode tocar. Quanto mais fé você coloca neles, maiores eles ficam, até que um dia irão alçar voo e levar você com eles.

Agradecimentos

Para Andrea Barthello e Bill, Sam, Mike e Ramsay Ritchie, muito obrigado por me receberem em sua família. Sua casa sempre foi um refúgio da loucura que às vezes é minha vida. E para Tom Rielly: Quando nos conhecemos, você prometeu que me apoiaria por sete anos, independentemente do que acontecesse. E você cumpriu sua promessa. Que aventura inesquecível tivemos juntos! Como meus pais americanos, você e Andrea me deram amor, apoio e sabedoria, pelos quais sempre lhes serei grato. E agradeço a meu coautor, Bryan Mealer, que se tornou um irmão ao longo desses anos.

Para Jackie e Mike Bezos e Eileen e Jay Walker, agradeço seu amor e apoio à minha educação.

Para John Collier, Andy Friedland, Karen Gocsik, Brian Reed, Mark Reed, Marcia Calloway, Jim Kim, Carol Harlow, Maria Laskaris, Benjamin Schwartz e Carrie Fraser, obrigado por estarem na "Equipe William" e por tudo que fizeram para me ajudar a alcançar meu "Sonho Dartmouth".

A Christopher Schmidt, meu tutor e mentor. Você foi muito além de me ajudar nos estudos e na vida. Eu me formei em Dartmouth em grande parte devido a seus esforços.

Meus agradecimentos a Henry Ferris, da HarperCollins, pela primeira publicação do meu livro, em 2009, e a Andrea Rosen, do Gabinete de Oradores da HarperCollins, por me dar a oportunidade de ganhar dinheiro para transformar minha aldeia. Obrigado a Lauri Hornik e à equipe maravilhosa da Dial Books, por me ajudarem a divulgar minha história para crianças de todas as idades – primeiro em um livro ilustrado (com a arte da talentosa Elizabeth Zunon) e agora em uma edição de nível médio. E agradeço à minha agente, Heather Schroder, por sua amizade e seu trabalho incansável em meu favor. Meus agradecimentos a Chiwetel Ejiofor, por ser amigo e fã da minha história.

Serei eternamente grato às pessoas gentis da TED: Chris Anderson, June Cohen, Bruno Giussani, Emeka Okafor, a equipe de bolsistas TED. A TED literalmente me lançou na minha nova vida e tornou realidade sonhos que eu nem sabia que existiam.

E, finalmente, obrigado aos meus amigos e à minha família no Malaui, por seu amor, seu apoio e sua orientação. Agradeço aos meus pais, Agnes e Trywell, e às minhas irmãs, Annie, Doris, Aisha, Mayless, Rose e Tiyamike. Eu já disse isso muitas vezes e direi de novo: seu trabalho árduo e sua resistência fazem eu me orgulhar de quem sou. (A tio John, vovô Matiki, vovô e vovó Kamkwamba, Chefe Wimbe e Khamba – que todos vocês descansem em paz!)

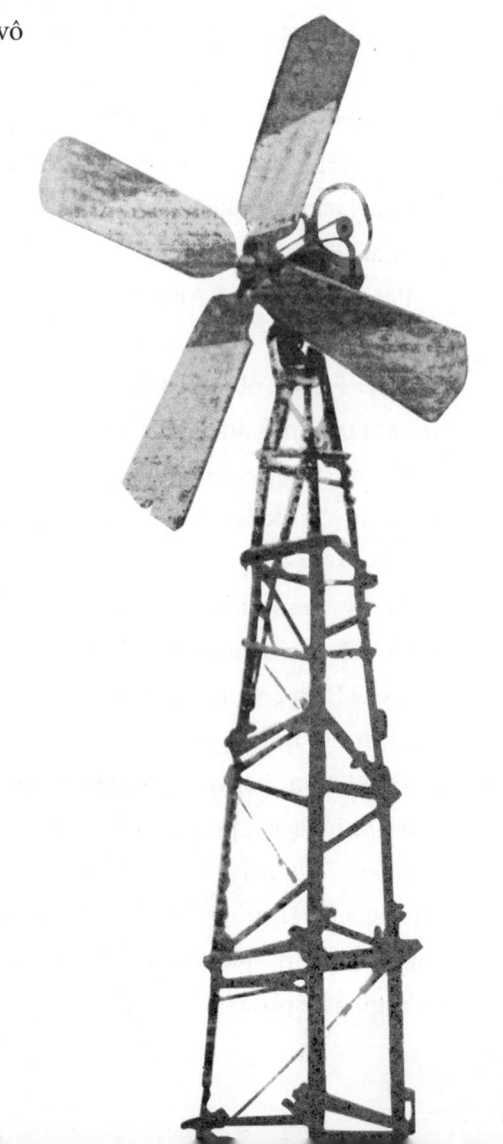